GUSTAV MAHLER

KINDERTOTENLIEDER

for Solo Voice and Orchestra
für Solostimme und Orchester

Edited by/Herausgegeben von
Andreas Ballstaedt and/und Klaus Döge

Ernst Eulenburg Ltd
London · Mainz · Madrid · New York · Paris · Tokyo · Toronto · Zürich

CONTENTS / INHALT

Ernst Eulenburg Ltd
48 Great Marlborough Street
London WlV 2BN

PREFACE / VORWORT

The only genre to which Gustav Mahler retained a particular and long-term commitment - apart from the symphony, which was central to his output - was the song. All told, his œuvre contains 42 songs. Of these, the *Vierzehn Lieder und Gesänge aus der Jugendzeit* (1880–1892), the *Lieder eines fahrenden Gesellen* (1884) and the *Zwölf Lieder aus 'Des Knaben Wunderhorn'* (1892–1895) form a first group, in which preference is given to *Wunderhorn* texts or texts of the composer's own. Settings made after 1899, on the other hand, are devoted almost entirely - there are only two exceptions - to the poetry of Friedrich Rückert (1788–1866). As well as the *Sieben Lieder aus letzter Zeit* (1899–1903), this group contains the *Kindertotenlieder* (*Songs on the Death of Children*), the texts of which are based on five of the more than 400 poems which Friedrich Rückert wrote in the years 1833–1834 after the deaths of his two youngest children. Mahler probably became acquainted with these poems in the edition of 1872.[1]

Details of the stages of composition of Mahler's *Kindertotenlieder* are relatively obscure. All of the extant manuscripts relevant to the work are undated, and none of the letters in which Mahler mentions the settings refers even obliquely to the circumstances of their composition. Nevertheless, with the help of the memoirs of Natalie Bauer-Lechner and Alma Mahler it is possible at least to establish the outer

[1] Friedrich Rückert, *Kindertodtenlieder. Aus seinem Nachlasse*, Frankfurt/M., 1872. On the textual alterations that Mahler made, cf. Gustav Mahler, *Sämtliche Werke*, ed. Internationale Gustav-Mahler-Gesellschaft, vol. XIV, part 3 (*Kindertotenlieder*, ed. Zoltan Roman), Vienna 1979, pp. VIIff.

In seinem kompositorischen Schaffen blieb Gustav Mahler neben der für ihn zentralen Gattung der Sinfonie einzig dem Lied über einen längeren Zeitraum hinweg in besonderem Maße verpflichtet. Sein Gesamtwerk weist insgesamt 42 Lieder auf, unter denen die *Vierzehn Lieder und Gesänge aus der Jugendzeit* (1880 - 1892), die *Lieder eines fahrenden Gesellen* (1884) und die *Zwölf Lieder aus „Des Knaben Wunderhorn"* (1892 - 1895) eine erste Gruppe bilden, in der eigene und Wunderhorn-Texte bevorzugt wurden, während die nach 1899 entstandenen Vertonungen bis auf zwei Ausnahmen durchgehend der Lyrik Friedrich Rückerts (1788 - 1866) galten. Dieser zweiten Gruppe gehören außer den *Sieben Liedern aus letzter Zeit* (1899 - 1903) auch die *Kindertotenlieder* an, als deren Textgrundlage 5 jener über 400 Gedichte dienten, die Friedrich Rückert in den Jahren 1833 - 1834 nach dem Tode seiner beiden jüngsten Kinder niederschrieb und die Mahler vermutlich in der Ausgabe von 1872 kennenlernte[1].

Die näheren Umstände der Entstehung von Mahlers *Kindertotenliedern* liegen mehr oder weniger im Dunkeln. Alle heute noch existenten Manuskripte zu diesem Werk sind undatiert, und in keinem der Briefe, in denen Mahler diese Vertonungen erwähnt, wird auf ihr Zustandekommen auch nur andeutungsweise eingegangen. Doch lassen sich an Hand der Erinnerungen von Natalie Bauer-Lechner und Alma

[1] Friedrich Rückert, *Kindertodtenlieder. Aus seinem Nachlasse*, Frankfurt/M. 1872. Zu den Textänderungen, die Mahler vornahm, vgl. Gustav Mahler, *Sämtliche Werke*, hg. von der Internationalen Gustav-Mahler-Gesellschaft, Bd. XIV, Teilband 3 (*Kindertotenlieder*, hg. von Zoltan Roman), Wien 1979, S. VIIff.

limits of the period of composition. The starting-point may be taken to be the summer of 1901. Natalie Bauer-Lechner records: 'On 10 August in his cabin in the woods Mahler played me his seven songs, which were done in fourteen days (each composed in one day and scored the day after). Six are by Rückert and one, "Der Tambourgesell", is from *Des Knaben Wunderhorn*'.[2] The six Rückert songs referred to here must already have included some of the *Kindertotenlieder*, since Natalie Bauer-Lechner's account, mentioning these songs explicitly, continues: 'As regards the "Tambourgesell" and the "Kindertotenlieder", he [Mahler] told me that it had been painful for him to have had to write them, and he was sorry for the world that would eventually have to listen to them, so terribly sad was their subject-matter.'[3] The date of completion of the composition of the song-cycle was the summer of 1904. Reporting in her *Erinnerungen* on her husband's compositional activity at this time, Alma Mahler writes: 'He completed the Sixth Symphony and added three more Kindertotenlieder to the two already written.'[4]

Besides giving these bare limiting dates of composition, the accounts by Natalie Bauer-Lechner and Alma Mahler also make clear that the *Kindertotenlieder* were composed in two stages: a first stage in 1901, and a second in 1904, when the work was completed. How many – and, above all, which – of the five *Kindertotenlieder* belong to these two different years, however, cannot be known with absolute certainty. The apparently unambivalent statement in Alma Mahler's *Erinnerungen*, from which

[2] Natalie Bauer-Lechner, *Erinnerungen an Gustav Mahler*, Vienna 1923, pp. 165/66
[3] ibid., p. 166
[4] Alma Mahler, *Gustav Mahler. Erinnerungen und Briefe*, Vienna 1949, p. 91

Mahler zumindest Eckdaten für die Werkentstehung ausmachen. Als Beginn der Komposition kann dabei der Sommer 1901 gelten. Natalie Bauer-Lechner schreibt in ihren Aufzeichnungen: „Am 10. August spielte mir Mahler in seinem Waldhäuschen seine sieben Lieder vor, die er in vierzehn Tagen gemacht (jedes an einem komponiert und am folgenden instrumentiert) hat. Sechs sind von Rückert und eines, ‚Der Tambourgesell', aus ‚Des Knaben Wunderhorn'."[2] Unter den hier erwähnten sechs Rückert-Liedern müssen sich bereits einige *Kindertotenlieder* befunden haben, denn Natalie Bauer-Lechner setzt, diese Lieder ausdrücklich erwähnend, ihre Erinnerungen mit den Worten fort: „Über den ‚Tambourgesell' und die ‚Kindertotenlieder' sagte er [Mahler] mir, er habe sich leid getan, da er sie schreiben mußte, und die Welt tue ihm leid, die sie einmal hören müsse, so furchtbar traurig sei ihr Inhalt."[3] Abgeschlossen wurde die Komposition des Liederzyklus im Sommer 1904. Alma Mahler berichtet in ihren *Erinnerungen* unter dieser Zeitangabe über das damalige kompositorische Schaffen ihres Mannes: „Er vollendete die Sechste Symphonie und vermehrte die zwei Kindertotenlieder um drei weitere".[4]

Über die reinen Eckdaten der Komposition hinaus machen die Zeilen Natalie Bauer-Lechners und Alma Mahlers zugleich auch deutlich, daß die *Kindertotenlieder* in zwei Etappen komponiert wurden: ein erster Teil entstand 1901, ein zweiter, der zum Abschluß des Opus führte, im Jahre 1904. Restlose Klarheit darüber, wie viele und vor allem welche der fünf *Kindertotenlieder* jeweils dem Jahre 1901 bzw. 1904 zuzuordnen sind, ist allerdings nicht zu erlangen. Denn die anschei-

[2] Natalie Bauer-Lechner, *Erinnerungen an Gustav Mahler*, Wien 1923, S. 165/66
[3] a.a.O. S. 166
[4] Alma Mahler, *Gustav Mahler. Erinnerungen und Briefe*, Wien 1949, S. 91

we have just quoted, that two of the songs were written in 1901 and three in 1904 is cast open to doubt by Alma Mahler's own later autobiography *Mein Leben*, where the course of composition is portrayed in exact reverse: 'The first three songs were composed in the same period as the first incomplete draft of the Fifth Symphony [i.e. in 1901] [...]. Three years later he [Mahler] composed the last two songs.'[5]

Mahler's autograph piano manuscripts also indicate a grouping into two and three songs, but with no precise dating. Two of the five songs – the later nos. 3 and 4 – were written on vertical (portrait) format paper and have features clearly indicating a fair copy. The other three songs – the later nos. 1, 2 and 5 – are notated on horizontal (landscape) format paper: songs 2 and 5 in the style of a first draft, song 1 in the style of a first sketch. The fact that the first drafts of the datable Rückert settings from the *Sieben Lieder aus letzter Zeit* of the summer of 1901 are on horizontal format paper similar to that of songs 1, 2 and 5 of the *Kindertotenlieder* might be held to indicate that the three latter songs were also written in the summer of 1901.[6] On the other hand, the manuscripts of songs 3 and 4 also seem to imply this same date. The fair-copy style of the two manuscripts, each of which includes, next to the opening words of the text, Mahler's note '*aus "Kindertodtenlieder" von Rückert*', gives the impression of two independent compositions not yet incorporated into a single work comprising

[5] Alma Mahler-Werfel, *Mein Leben*, Frankfurt/M. 1963, p. 39

[6] The datable songs are 'Blicke mir nicht in die Lieder!' (14 June 1901) and 'Ich bin der Welt abhandengekommen' (16 August 1901). For an elaboration of this thesis, see especially Donald Mitchell, *Gustav Mahler. Songs and Symphonies of Life and Death. Interpretations and Annotations*, London 1985, pp. 111ff.

nend so eindeutigen Angaben in den eben zitierten *Erinnerungen* Alma Mahlers, in denen festgehalten ist, daß 1901 zwei und 1904 drei der fünf Lieder entstanden, werden fragwürdig, wenn Alma Mahler später in ihrer Autobiographie *Mein Leben* den Kompositionsverlauf genau entgegengesetzt schildert: „Die ersten Lieder entstanden in derselben Zeit, wie die erste Niederschrift der unfertigen 5. Symphonie [d. h. im Jahre 1901] [...]. Drei Jahre später komponierte er [Mahler] die beiden letzten Lieder."[5]

Die zeitlich nicht genau nicht zu bestimmende Gruppierung in zwei und drei Lieder lassen auch Mahlers autographe Klaviermanuskripte erkennen: zwei der fünf Lieder, die späteren Nummern 3 und 4, wurden auf hochformatigem Papier niedergeschrieben und tragen eindeutig Reinschriftzüge. Die übrigen drei Lieder, die späteren Nummern 1, 2 und 5 sind auf querformatigem Papier notiert, Lied 2 und 5 in der Art einer ersten Niederschrift, Lied 1 im Charakter einer ersten Skizze. Daß die Erstniederschriften der datierbaren Rückertvertonungen aus den *Sieben Liedern aus letzter Zeit* vom Sommer 1901 auf ähnlichem querformatigem Papier stehen wie die *Kindertotenlieder* 1, 2 und 5, könnte darauf hinweisen, daß auch diese drei Lieder im Sommer 1901 entstanden[6]. Andererseits scheinen aber auch die Manuskripte der Lieder 3 und 4 für dieses Datum zu sprechen: Der Reinschriftcharakter beider Handschriften, auf denen von Mahler neben dem jeweiligen Textincipit auch die Angabe „aus ‚Kindertodtenlieder' von Rückert" vermerkt wurde, erweckt den

[5] Alma Mahler-Werfel, *Mein Leben*, Frankfurt/M. 1963, S. 39

[6] Die datierbaren Lieder sind: *Blicke mir nicht in die Lieder!* (14.6.1901) und *Ich bin der Welt abhandengekommen* (16.8.1901). Zur Ausführung dieser These vgl. insbesondere Donald Mitchell, *Gustav Mahler. Songs and Symphonies of Life and Death. Interpretations and Annotations*, London 1985, S. 111ff.

several songs. (The fact that no fair copies were subsequently made of the songs which, on this hypothesis, were composed later - the first drafts of these songs evidently served as the basis for the preparation of the engraver's copy - could have been due to factors of chronology: in the summer of 1904 Mahler not only completed the composition and scoring of the *Kindertotenlieder* but was also working with redoubled effort on his Sixth Symphony.) Like the testimony of Natalie Bauer-Lechner and Alma Mahler, these textual considerations yield no conclusive evidence for a precise dating. At the present time, therefore, our knowledge of the sources of the *Kindertotenlieder* does not enable us to establish any more detailed information about the phases of the work's composition between 1901 and 1904. This is regrettable, since a reliable dating of the individual songs might help to clarify several issues that remain unresolved: for example, concerning the poem that originally sparked off the composition altogether; the shaping of the cycle; and the way in which the work's compositional and stylistic unity was sustained, in view of the fact that the period of composition occupied, as Mitchell has said, 'an unusual stretch of time for the mature Mahler'.[7]

It early became Mahler's practice, in his song-writing, to set down the songs first for voice and piano and then to convert them into an orchestral setting at a second stage of work. This method of proceeding can also be seen in the case of the *Kindertotenlieder*.[8] The orchestration, however, was

[7] Donald Mitchell, *Gustav Mahler. The Wunderhorn Years. Chronicles and Commentaries*, London 1975, p. 41

[8] Natalie Bauer-Lechner's account, cited earlier, which says that 'each [song was] composed on

Eindruck zweier eigenständiger, noch nicht in ein mehrere Lieder umfassendes Opus eingebundener Kompositionen. (Daß von den bei dieser Annahme später entstandenen Liedern, deren Erstniederschriften eindeutig für die Herstellung der Stichvorlage dienten, keine Reinschriften mehr angefertigt wurden, könnte zeitliche Gründe gehabt haben: Im Sommer 1904 schloß Mahler nicht nur die Komposition der *Kindertotenlieder* sowie deren Orchestrierung ab, sondern arbeitete in verstärktem Maße auch an seiner Sechsten Sinfonie). Ebenso wie die Berichte Natalie Bauer-Lechners und Alma Mahlers geben auch die hier angedeuteten philologischen Überlegungen keine Entscheidungshilfe für eine genaue Datierung an die Hand. Beim derzeitigen Quellenstand zu den *Kindertotenliedern* läßt sich daher über die Feststellung des beschriebenen etappenweisen Kompositionsverlaufes (1901–1904) hinaus Weiteres nicht verläßlich aussagen. Das ist insofern bedauerlich, als eine zuverlässige Datierung der einzelnen Lieder zur Klärung mancher offenen Fragen beitragen könnte, die heute noch bestehen: z. B. in Hinblick auf das die Komposition überhaupt auslösende Gedicht, ferner auf die Zyklusgestaltung und auf die Wahrung der kompositorisch-stilistischen Einheitlichkeit dieses Werkes, dessen Kompositionsdauer von Mitchell als „eine ungewöhnlich lange Zeitspanne für den späten Mahler"[7] charakterisiert wurde.

In Mahlers Liedschaffen machte sich rasch das kompositorische Prinzip bemerkbar, die Lieder zuerst für Gesang und Klavier niederzuschreiben und sie danach in einer zweiten Arbeitsstufe für Orchester zu setzen. Diese Vorgehensweise ist auch bei den *Kindertotenliedern* zu beobachten[8]. Die

[7] Donald Mitchell, *Gustav Mahler. The Wunderhorn Years. Chronicles and Commentaries*, London 1975, S. 41

[8] Natalie Bauer-Lechners eingangs zitierte Angaben, denen zufolge „jedes [Lied] an einem

never a mere supplementary version, a by-product designed to ensure that the songs could also be performed in a large concert hall. Mahler's orchestrations of his songs were the realisation of compositional intentions that were present from the start. These intentions are already indicated in the piano versions by instructions such as '*In all diesen tiefen Trillern ist mit Hilfe des Pedals der Klang gedämpfter Trommeln nachzuahmen*' (In all these low trills, the sound of muffled drums is to be imitated, with the aid of the pedal),[9] or '*wie eine Schalmei*' (like a shawm),[10] or '*quasi pizzicato*'.[11] For Mahler, whose 'songs [are,] almost without exception, originally conceived for orchestra',[12] the preparation of the orchestral version, while secondary in the compositional sense, was always primary in the aesthetic sense: in this way 'the composer has the opportunity to give full

one day and scored the day after' is not correct. Mahler's orchestral manuscript of the *Kindertotenlieder* shows clearly that the orchestration of the songs was a single process and thus took place after composition had been completed in 1904. Several factors bear this out: the uniform brand of paper in the manuscript of the score, the consistency of the handwriting, and the indentical styles of the title pages. The use of the key of C minor in the second song, which is still in C sharp minor in the piano manuscript and is transposed into C minor only in a second version in the engraver's copy, implies a similar conclusion.

9 Gustav Mahler, 'Zu Straßburg auf der Schanz', from *Vierzehn Lieder und Gesänge aus der Jugendzeit*, bars 15ff.

10 ibid., bars 1f.

11 cf. the third of the *Kindertotenlieder*, bar 1. The sketch for the first of the *Kindertotenlieder*, bar 20, contains the indication '(*Glöcklein*)' (little bell); the first draft of the fifth song, bar 54, contains the indication '*Picc*[*olo*]'; cf. also the *Editorial Notes*, below.

12 Paul Stefan, *Gustav Mahler. Eine Studie über Persönlichkeit und Werk*, Munich [4]1912, p. 95. In this connection, Mahler wrote in a letter to Herwarth Walden (December 1906): 'My [song] compositions would seem expressionless without orchestra, because [they are] designed for orchestra, and the handling of the

Orchestrierung jedoch erfolgte nie im Sinne einer nachträglichen Bearbeitung, eines Nebenproduktes, mit dem Aufführungen des Liederopus auch im großen Konzertsaal gesichert werden sollten. Vielmehr stellte Mahlers Orchestrierung der Lieder die Einlösung kompositorischer Intentionen dar, die von Anfang an vorhanden waren und die in den Klavierfassungen durch Hinweise wie z. B. „In all diesen tiefen Trillern ist mit Hilfe des Pedals der Klang gedämpfter Trommeln nachzuahmen"[9], oder „wie eine Schalmei"[10] oder auch „quasi pizzicato"[11] bereits angedeutet sind. Für Mahler, dessen „Lieder fast durchwegs ursprünglich für Orchester gedacht"[12] sind, galt das kompositorisch Sekundäre – die Ausarbeitung der Orchesterfassung – stets als das ästhetisch Primäre, in dem „der Tonsetzer die Gelegenheit hat, einen Inhalt den gegebenen Mit-

Tag komponiert und am folgenden instrumentiert" worden sei, sind zu korrigieren: Mahlers Orchestermanuskript der *Kindertotenlieder* zeigt deutlich, daß die Orchestrierung der Lieder als Ganzes und damit nach dem Kompositionsabschluß im Jahre 1904 erfolgte. Nicht nur die Einheitlichkeit der Papiersorte im Partiturmanuskript, die Gleichheit der Schriftzüge wie auch die stets gleiche Art des jeweiligen Titelblattes sprechen dafür, auch die Tonart c-Moll des zweiten Liedes, das im Klaviermanuskript noch in cis-Moll stand und erst in der Stichvorlage in einem zweiten Ausschreiben nach c-Moll transponiert wurde, legt diese Korrektur nahe.

9 Gustav Mahler, *Zu Straßburg auf der Schanz'*, aus: *Vierzehn Lieder und Gesänge aus der Jugendzeit*, Takt 15f.

10 ebda., Takt 1f.

11 so im 3. *Kindertotenlied*, Takt 1; die Skizze zum 1. *Kindertotenlied* enthält im 20. Takt den Vermerk „(Glöcklein)", in der Erstniederschrift des 5. Liedes begegnet in Takt 54 der Hinweis „Picc[olo]", vgl. dazu weiter unten im Revisionsbericht.

12 Paul Stefan, *Gustav Mahler. Eine Studie über Persönlichkeit und Werk*, München [4]1912, S. 95. In seinem Brief an Herwarth Walden vom Dezember 1906 schrieb Mahler in diesem Zusammenhang: „Meine [Lied-] Compositionen würden ohne Orchester charakterlos

and final expression to the content, using the appropriate means'.[13]

The first performance of the *Kindertotenlieder* in the version for voice and orchestra took place in Vienna on 29 January 1905 as part of a concert of the Viennese '*Vereinigung schaffender Tonkünstler*' (Union of Creative Musicians). This body had been founded in March 1904 by Alexander von Zemlinsky and Arnold Schoenberg, with Gustav Mahler as its honorary president, in overt response to the difficulties which exponents of contemporary and modernist music were experiencing in the Viennese concert scene. The organization's constitution declared: 'In the musical life of Vienna the works of contemporary composers, especially Viennese composers, are little heeded. As a rule new works are heard in Vienna only after they have done the rounds of all the considerable number of musically active cities in Germany, large and small, and then they are generally received with little interest, indeed with repugnance. This phenomenon is in stark contrast with Vienna's musical pre-eminence in the past and is usually attributed to the public's supposedly invincible distaste for novelty. Viennese soil is not suited to novelty, it is said; and people who maintain as much seem at first glance to be right, if we disregard operetta, a sphere in which this city of ours is indisputably pre-eminent.'[14] The goals of the Union, accordingly, were to 'create a direct bond between itself and the public, to establish a permanent home where Viennese music of the present day

instruments in conjunction with the voice produces the style of the thing.' Quoted in Rudolf Stephan, 'Mahlers letztes Konzert in Berlin. Unbekannte Briefe Mahlers', in: *Festschrift Rudolf Elvers zum 60. Geburtstag*, ed. Ernst Herttrich and Hans Schneider, Tutzing 1985, p. 494.

13 Arnold Schering, 'Gustav Mahler als Liederkomponist', *NZfM* LXXII/1905, p. 673

teln entsprechend restlos zum Ausdruck zu bringen."[13]

Die Uraufführung der *Kindertotenlieder* in der Fassung für Singstimme und Orchester fand am 29. 1. 1905 in Wien im Rahmen eines Konzertes der Wiener „Vereinigung schaffender Tonkünstler" statt. Diese Vereinigung, die im März 1904 von Alexander von Zemlinsky und Arnold Schönberg ins Leben gerufen worden war, und in der Gustav Mahler die Ehrenpräsidentschaft innehatte, war eine deutliche Reaktion auf die Schwierigkeiten, mit denen die damaligen Exponenten der zeitgenössischen Musik und der musikalischen Moderne im Konzertleben Wiens zu kämpfen hatten. In den Vereinsstatuten hieß es diesbezüglich: „Im musikalischen Leben Wiens finden die Werke zeitgenössischer Komponisten, insbesondere der Wiener, nur sehr geringe Berücksichtigung. Neue Werke kommen in Wien in der Regel erst zu Gehör, nachdem sie die Runde durch alle die zahlreichen großen und kleinen musiktreibenden Städte Deutschlands gemacht haben, und werden dann gewöhnlich mit wenig Interesse, ja mit Widerwillen aufgenommen. Diese Erscheinung steht im krassen Widerspruche zu Wiens tonangebender musikalischer Vergangenheit und wird meistens erklärt durch eine anscheinend unüberwindliche Abneigung des Publikums gegen Novitäten. Wien sei kein Boden für Novitäten, heißt es, und die Leute, die das behaupten, scheinen auf den ersten Anschein Recht zu haben, wenn man von der Operette absieht, auf deren Gebiet unsere Stadt zweifellos tonange-

erscheinen, denn es ist für Orchester berechnet, und die Behandlung der Instrumente in Verbindung mit der Singstimme ergeben den Styl der Sache", zitiert nach Rudolf Stephan, *Mahlers letztes Konzert in Berlin. Unbekannte Briefe Mahlers*, in: *Festschrift Rudolf Elvers zum 60. Geburtstag*, hg. v. Ernst Herttrich und Hans Schneider, Tutzing 1985, S. 494.

13 Arnold Schering, *Gustav Mahler als Liederkomponist*, *NZfM* LXXII/1905, S. 673

may be nurtured, to keep the public constantly informed about the current state of musical composition.'[15] In the short period of its existence (1904 - 05) the Union organized a series of concerts which introduced Viennese audiences for the first time to works by Richard Strauss, Max Reger and Arnold Schoenberg, among others. The concert on 29 January 1905 was devoted entirely to songs by Gustav Mahler, who was also the conductor on that occasion. Songs from *Des Knaben Wunderhorn* were performed and the five *Kindertotenlieder* received their premiere.[16]

Although the Viennese music critics were generally restrained and somewhat sceptical in their responses to the Union's concerts, the Mahler concert was received with unreserved enthusiasm. The *Neue musikalische Presse* wrote: 'Gustav Mahler, in a song recital organized by the Union of Creative Musicians, has fairly swept the worthy Viennese off their feet. The songs, both as to sequence and performance, offered virtually the utmost imaginable by way of distinction and refinement. [...] Add to this the fact that Mahler himself was conducting, that the Philharmonic, Messrs. Weidemann, Moser and Schrödter [...] did full and absolute justice to their task, and the runaway success of the occasion will be apparent. This must be the only time in Viennese concert-going history that a song recital has been completely sold out three times [at the final rehearsal, the concert

[14] quoted from: Willi Reich, *Arnold Schönberg oder Der konservative Revolutionär*, paperback edition, Munich 1974, p. 24

[15] ibid., p. 27

[16] The orchestra was formed by members of the Vienna Philharmonic Orchestra; the vocal solo parts were performed by Anton Moser, Fritz Schrödter and Friedrich Weidemann.

bend ist."[14] Ziel der „Vereinigung" war es daher, „das unmittelbare Verhältnis zwischen sich und dem Publikum zu schaffen, der Musik der Gegenwart in Wien eine ständige Pflegestätte zu bereiten, das Publikum in fortlaufender Kenntnis über den jeweiligen Stand des musikalischen Schaffens zu halten."[15] In der kurzen Zeit ihres Bestehens (1904/05) veranstaltete die „Vereinigung" eine Reihe von Konzerten, in denen Werke u. a. von Richard Strauss, Max Reger und Arnold Schönberg erstmals dem Wiener Publikum vorgestellt wurden. Das Konzert am 29. 1. 1905 war ganz dem Liedschaffen Gustav Mahlers gewidmet, der an diesem Abend auch selbst dirigierte. Aufgeführt wurden Lieder aus *Des Knaben Wunderhorn* und zum ersten Male die 5 *Kindertotenlieder*[16].

Begegnete die Wiener Musikkritik den Konzerten der „Vereinigung" sonst zumeist verhalten und mit einer gewissen Skepsis, so wurde das Mahler-Konzert mit vorbehaltloser Begeisterung aufgenommen. In der *Neuen musikalischen Presse* war zu lesen: „Mit einem Liederabend, veranstaltet von der Vereinigung schaffender Tonkünstler, hat Gustav Mahler den guten Wienern nun vollends die Köpfe verdreht! Die Lieder, ihre Anordnung, ihre Aufführung boten so ziemlich das Höchste an verfeinertem Raffinement, das man sich denken kann. [...] Nimmt man noch dazu, daß Mahler selbst dirigierte, daß die Philharmoniker, die Herren Weidemann, Moser und Schrödter [...] ihren Aufgaben in geradezu vollendeter Weise gerecht wurden, so kann man den Bombenerfolg begreifen. Es dürfte in der Geschichte des Konzertwesens in Wien wohl einzig dastehen, daß

[14] zitiert nach: Willi Reich, *Arnold Schönberg oder Der konservative Revolutionär*, Taschenbuchausgabe, München 1974, S. 24

[15] a.a.O., S. 27

[16] Im Orchester spielten Mitglieder der Wiener Philharmoniker; als Gesangssolisten wirkten Anton Moser, Fritz Schrödter und Friedrich Weidemann mit.

on 29 January and the repeat performance on 3 February 1905].'[17]

The *Kindertotenlieder* made a uniformly favourable impact, with their 'sounds full of painful yet always tender, simple and restrained feeling'.[18] Some reviewers of the concert felt that they had heard a 'new Mahler'. 'These new songs,' Julius Korngold wrote, 'also reveal a new Mahler. His song style has become deeper; the composer has found a new, richer sensitivity.'[19] And Theodor Helm expressed a similar view: 'But we have certainly encountered an entirely new Mahler in the truly moving setting of the *Kindertotenlieder*. The composer, who elsewhere has been far too complacently intent on mere outward effect, has been able here to feel sympathy with the poet in his sore trials [...] even down to the most delicate turns of phrase [...] and to mirror this in his music: in the vocal part and - even more so, in fact - in the orchestra.'[20]

Such views are fully borne out from today's perspective: the *Kindertotenlieder* do indeed testify to a change in Mahler's song-writing. The outward sign of this change is in the choice of texts, with the folk-like romantic *Wunderhorn* poems that he had earlier preferred now being superseded by Friedrich Rückert's intimate lyricism. 'After *Des Knaben Wunderhorn*, all I could do was Rückert - it's first-hand lyric poetry, everything else is second-hand lyric poetry,'[21] Mahler is said to have told

[17] quoted from: Arnold Schoenberg, *Katalog der Gedenkausstellung Wien 1974*, ed. Ernst Hilmar, Vienna 1974, p. 186

[18] Julius Korngold, in: *Neue Freie Presse*, Wien, 3.2.1905

[19] ibid.

[20] Theodor Helm, in: *Musikalisches Wochenblatt* XXXVI, 23 February 1905, p.174

ein Liederabend dreimal [in der Generalprobe, im Konzert am 29. 1. und im Wiederholungskonzert am 3. 2. 1905] bei gänzlich ausverkauftem Hause stattfinden konnte."[17]

In den *Kindertotenliedern*, die mit ihren „Tönen von tiefschmerzlicher, dabei immer zarter, schlicht-zurückhaltender Empfindung"[18] einen durchgehend positiven Eindruck hinterließen, glaubten einige Rezensenten des Konzertes einen „neuen Mahler" wahrgenommen zu haben: „Diese neuen Lieder", heißt es bei Julius Korngold, „enthüllen auch einen neuen Mahler. Sein Liedstil hat sich vertieft, der Musiker ist innerlich reicher geworden."[19] Und in den Zeilen Theodor Helms begegnen uns ähnliche Worte: „Einen ganz neuen Mahler hat man aber wohl in der wahrhaft ergreifenden Vertonung der ‚Kindertotenlieder' kennen gelernt. Der anderswo oft gar zu selbstgefällig nur auf den äusseren Effekt hinarbeitende Komponist hat es hier verstanden, dem schwergeprüften Dichter [...] bis in die zartesten Wendungen [...] nachzufühlen und demgemäss nachzusingen - in der Singstimme, wie - dies freilich noch mehr - im Orchester."[20]

Solche Äußerungen lassen sich von heute aus gesehen durchaus nachvollziehen, zeugen die *Kindertotenlieder* doch von einem Wandel in Mahlers Liedschaffen. Äußerlich zeigt sich dieser Wandel bereits in der Textwahl, in der die bis dahin bevorzugten volkstümlich-romantischen *Wunderhorn*-Gedichte jetzt von der intimen Lyrik Friedrich Rückerts abgelöst werden. „Nach *Des Knaben Wunderhorn* konnte ich nur mehr Rückert machen - das ist Lyrik aus erster Hand, alles andere ist Lyrik aus

[17] zitiert nach: Arnold Schönberg, *Katalog der Gedenkausstellung Wien 1974*, hg. von Ernst Hilmar, Wien 1974, S. 186

[18] Julius Korngold, in: *Neue Freie Presse*, Vienna, 3 February 1905

[19] a.a.O.

[20] Theodor Helm, in: *Musikalisches Wochenblatt* XXXVI, 23.2.1905, S.174

Anton von Webern in this connection. In the music itself the change is manifest on several levels. The themes of the *Wunderhorn* songs are frequently dance-like and akin to folk song, with their often 'awkward naivety, bright straightforwardness and angular, lapidary rhythms'.[22] With the *Kindertotenlieder*, which, as Bekker says, 'both as texts and as musical entities, represent a purer species of lyricism',[23] there come more complex periodic patterns, more extensive elaboration and a more pronounced use of chromaticism in the melodic construction. The 'new Mahler' is characterized by a new kind of polyphony, reminiscent of the Fifth and Sixth Symphonies, in which 'the vocal part [is] embedded within a delicate, airy contrapuntal web',[24] and by an unmistakable, 'wholly new chamber-like intimacy'[25] in the use of the orchestra. This chamber style evoked admiration even among some reviewers of the first performance, and its 'historical impact on the New Music of this century can scarcely be exaggerated'.[26]

And yet this 'new Mahler' is the composer not only of the *Kindertotenlieder* but of the symphonic works that provide its wider context. In this as in his earlier creative phase, 'Mahler the song composer and Mahler the symphonic composer cannot really be separated from one another. These

zweiter Hand"[21], soll Mahler in diesem Zusammenhang gegenüber Anton von Webern geäußert haben. In der Komposition selbst wird der Wandel auf mehreren Ebenen greifbar: Die oft tanzartigen und volksliedhaften Themencharaktere der *Wunderhorn*-Lieder, ihre oft „eckige Naivität, frische Geradlinigkeit [und] scharfkantige, lapidare Rhythmik"[22] sind in den *Kindertotenliedern*, die, wie Bekker schreibt, „als Texte wie als musikalische Gestaltungen eine reinere Gattung lyrischer Kunst darstellen"[23], einer komplexeren Periodik, einer breiteren Ausspinnung und einem wesentlich stärker chromatisch gefärbten Melodiebau gewichen. Eine neue, an die Fünfte und Sechste Sinfonie erinnernde Art polyphoner Gestaltung, durch die „die Singstimme in ein zartes luftiges Stimmengeflecht eingebettet"[24] erscheint, kennzeichnet ebenso den „neuen Mahler" wie die nicht zu überhörende „völlig neuartige kammermusikalische Intimität"[25] in der Orchesterbehandlung, die bereits in einigen Uraufführungsrezensionen auf Bewunderung stieß und deren „Geschichtswirkung auf die Neue Musik unseres Jahrhunderts kaum überschätzt werden kann."[26]

Doch ist dieser „neue Mahler" nicht nur derjenige der *Kindertotenlieder*, sondern auch der des sinfonischen Werkumkreises. Wie schon im Schaffen vorher sind auch hier „Mahler, der Liederkomponist, und Mahler, der Symphoniekomponist, [...] im Grunde nicht von einander zu trennen.

21 Diary entry by Anton von Webern following the concert on 3 February 1905, quoted in Hans and Rosaleen Moldenhauer, *Anton von Webern. Chronik seines Lebens und Werkes*, Zurich/Freiburg i. Br. 1980, p. 65
22 Paul Bekker, *Gustav Mahlers Sinfonien*, Berlin 1921, p. 177
23 ibid., p. 178
24 Julius Korngold, op. cit.
25 Hermann Danuser, 'Der Orchestergesang des Fin de siècle. Eine historische und ästhetische Skizze', *Mf* XXX/1977, p. 450
26 ibid., p. 450

21 Tagebucheintragung Anton von Weberns nach dem Konzert am 3. 2. 1905, zitiert nach: Hans und Rosaleen Moldenhauer, *Anton von Webern. Chronik seines Lebens und Werkes*, Zürich/Freiburg i. Br. 1980, S. 65
22 Paul Bekker, *Gustav Mahlers Sinfonien*, Berlin 1921, S. 177
23 a.a.O., S. 178
24 Julius Korngold, a.a.O.
25 Hermann Danuser, *Der Orchestergesang des Fin de siècle. Eine historische und ästhetische Skizze*, *Mf* XXX/1977, S. 450
26 a.a.O., S. 450

two "attributes", if we like, are two sides of a single personality, each of which may be immediately deduced from the other.'[27] Although Mahler no longer, as in the '*Wunderhorn* years', enlists particular songs to provide separate movements of his symphonies, the Fifth and Sixth Symphonies nevertheless display many stylistic parallels with, and reminiscences of, the thematic and motivic patterns of the *Kindertotenlieder*. In addition, these symphonies incorporate material used in the form of musical quotations[28] which may possibly have embodied, for Mahler, ideas similar in intent to those present in his Ninth Symphony, the last symphony he completed. Willem Mengelberg, a conductor who was a close friend of Mahler's, saw this latter work as a symphony of 'farewell from everyone he loved and from the world'.[29] In its final movement, shortly before the end of the entire work,[30] we hear some bars from the fourth of the *Kindertotenlieder* – not repeated note for note, but still unmistakable. The singer's words in these bars are: '[*Wir holen sie ein auf jenen Höh'n*] *im Sonnenschein! Der Tag ist schön auf jenen Höh'n!*' (We shall catch up with them on those hills, in the sunshine! It is a beautiful day on those hills!)

[27] Arnold Schering, op. cit., p. 672
[28] cf. Monika Tibbe, *Lieder und Liedelemente in instrumentalen Symphoniesätzen G. Mahlers* (*Berliner Musikwissenschaftliche Arbeiten* I), Munich 1971
[29] Quoted in Peter Andraschke, *Gustav Mahlers IX. Symphonie. Kompositionsprozeß und Analyse* (*Beihefte zum Archiv für Musikwissenschaft* XIV), Wiesbaden 1976, p. 81
[30] *Adagissimo*, bars 162–170; the corresponding passage in the song is bars 62–69. In this connection, cf. Peter Andraschke, op. cit., pp. 46ff., and Hans Heinrich Eggebrecht, *Die Musik Gustav Mahlers*, Munich [2]1986, pp. 249f.

Beide ‚Eigenschaften', wenn wir so sagen dürfen, sind zwei Seiten ein und derselben Persönlichkeit und zwar derart, dass von der einen unmittelbar auf die andere geschlossen werden kann."[27] Zwar zieht Mahler jetzt nicht mehr, wie noch in den „Wunderhornjahren", bestimmte Lieder für einzelne Sinfoniesätze heran, die Sinfonien 5 und 6 lassen aber dennoch zahlreiche stilistische Parallelen und mehrfache Anklänge an die Themen- und Motivgestaltung der *Kindertotenlieder* erkennen. Darüber hinaus begegnen auch in diesen Sinfonien Übernahmen in der Art musikalischer Zitate[28], mit denen Mahler möglicherweise ähnliche gehaltliche Intentionen verband, wie in seiner neunten und letzten vollendeten Sinfonie, die Willem Mengelberg, ein mit Mahler eng befreundeter Dirigent, als Sinfonie des „Abschied[s] von allen die Er liebte u[nd] von der Welt"[29] deutete. In ihrem Finalsatz, nur wenige Takte vor dem Ende des ganzen Werkes[30], klingen – zwar nicht tongetreu, aber dennoch unverkennbar – jene Takte des 4. *Kindertotenliedes* an, in denen es in der Gesangsstimme heißt: „[Wir holen sie ein auf jenen Höh'n] im Sonnenschein! Der Tag ist schön auf jenen Höh'n!".

[27] Arnold Schering, a.a.O., S. 672
[28] vgl. Monika Tibbe, *Lieder und Liedelemente in instrumentalen Symphoniesätzen G. Mahlers* (*Berliner Musikwissenschaftliche Arbeiten* I) München 1971
[29] zitiert nach: Peter Andraschke, *Gustav Mahlers IX. Symphonie. Kompositionsprozeß und Analyse* (*Beihefte zum Archiv für Musikwissenschaft* XIV) Wiesbaden 1976, S. 81
[30] *Adagissimo*, Takt 162 – 170, die entsprechende Stelle im Lied Takt 62 – 69; vgl. in diesem Zusammenhang Peter Andraschke, a.a.O., S. 46ff., sowie Hans Heinrich Eggebrecht, *Die Musik Gustav Mahlers*, München [2]1986, S. 249f.

Editorial Notes

The sources

A Complete autograph score for voice and orchestra, (66 vertical format pages written in ink: songs 1, 3 and 4 on 18 stave paper, songs 2 and 5 on 20 stave paper), undated: Pierpont Morgan Library, Robert O. Lehmann Collection, New York.

Each of the five songs is prefaced with a page of music paper containing, in the case of songs 1–4, the words '*Kindertodtenlieder n.*[*ach*] *Rückert*' and the number of the song in question, the opening words of the text and the composer's signature. In the case of song 5, the only one of the manuscripts to be marked by Mahler with rehearsal numbers that correspond exactly to those in the first printed edition, the prefatory sheet of music paper contains only the words '*Kindertodtenlieder/Nro 5*'. In the titles of songs 3 and 4 there are erasures where the numerals are given, the numerals '3' and '4' having been inserted as corrections of original numberings that are no longer legible.[31]

The relatively small number of corrections and additions, and the consistently clear and neat finish of the manuscript, indicate that this autograph score is a fair copy and, as is the case with other works of Mahler's, represents the completion stage of the composition.[32]

[31] It is conceivable that the original order of songs 3 and 4 in the cycle was reversed; cf. Donald Mitchell, *Gustav Mahler. Songs and Symphonies* [...], pp. 112f.

[32] On Mahler's process of composition, cf. Edward R. Reilly, 'Die Skizzen zu Mahlers Zweiter Symphonie', *ÖMZ* XXXIV/1979, pp. 267ff., and Peter Andraschke, op. cit.

Revisionsbericht

Die Quellen

A Vollständige autographe Partitur für Singstimme und Orchester (66 mit Tinte beschriebene Seiten in Hochformat mit 18: Lied 1, 3, 4, bzw. 20 Systemen: Lied 2 und 5), undatiert; Pierpont Morgan Library, Robert O. Lehmann Collection, New York.

Jedem der fünf Lieder ist ein Notenblatt vorangestellt, auf dem sich bei den Liedern 1 - 4 neben der Angabe *Kindertodtenlieder n.*[ach] *Rückert* auch die jeweilige Liednummer, das jeweilige Textincipit sowie der Namenszug des Komponisten befinden. Bei Lied 5, in dessen Manuskript als einzigem von Mahler Studierziffern notiert wurden, die denjenigen der Erstausgabe genau entsprechen, steht auf dem vorangestellten Notenblatt nur der Vermerk *Kindertodtenlieder/ Nro. 5.* In den Titeln von Lied 3 und 4 wurde bei der Ziffernangabe rasiert und die Ziffer 3 bzw. 4 als Korrektur einer nicht mehr lesbaren ersten Angabe eingesetzt[31].

Die relativ geringe Zahl von Korrekturen und Nachträgen sowie die durchgehend klare und saubere Ausführung weisen diese autographe Partitur als Reinschrift aus, die, wie bei anderen Werken Mahlers auch, den Abschluß der Komposition darstellte[32].

[31] Denkbar wäre, daß ursprünglich die Stellung der Lieder 3 und 4 im Werkzyklus vertauscht war. Vgl. dazu Donald Mitchell, *Gustav Mahler. Songs and Symphonies* [...], S. 112f.

[32] Zum Schaffensprozeß Mahlers vgl. Edward R. Reilly, *Die Skizzen zu Mahlers Zweiter Symphonie*, *ÖMZ* XXXIV/1979, S. 267 f., sowie Peter Andraschke, a. a. O.

StV Handwritten engraver's copy (*Stichvorlage*) of the score, for voice and orchestra: Gustav Mahler Archiv, Internationale Gustav Mahler Gesellschaft, Vienna.

This engraver's copy, comprising 80 pages prepared by three different copyists, contains numerous corrections and additions by Mahler as well as by others. In the case of song 5, where A and StV often conflict diametrically with one another (cf. *Einzelanmerkungen*), it is possible that an as yet unknown source served as the basis for the engraver's copy (rather than A, as is the case with the first four songs).

EA First printed edition of the score, for voice and orchestra, published between June and August 1905[33] by Musikverlag C. F. Kahnt Nachfolger, Leipzig, plate numbers 4460a - 4460e: Bayerische Staatsbibliothek, Munich.

In some places the printed score contains readings which correspond neither to A nor to the corrected StV. It may be, as with the

[33] Only an approximate date of publication of EA can be given. The earliest publisher's announcement is dated May 1905 (cf. *NZfM*, LXXII, no. 10, 10 May 1905, p. 439), still without details of the price. An announcement of June 1905 (cf. *NZfM* LXXII, nos. 26/27, 28 June 1905, p. 578) is the first to advertise the '*Komplette Klavier-Ausgabe*', '*Partitur*' and '*Stimmen*' (complete piano edition, score, parts), together with specific prices. The monthly Hofmeister listing of new musical publications does not record the publication of the piano edition and the score of the orchestral version until August 1905 (cf. *Musikhandel und Musikpflege* VII, nos. 46/47, 24 August 1905, p. 231). Since it can be assumed that the publishers did not market their products before announcing specific prices, the likely time when publication of EA and EAKl took place is the period between June and August 1905.

StV Handschriftliche Stichvorlage der Partitur für Singstimme und Orchester; Gustav Mahler Archiv, Internationale Gustav Mahler Gesellschaft Wien.

Die 80 Seiten umfassende Stichvorlage, die von drei verschiedenen Schreibern angefertigt wurde, enthält zahlreiche Korrekturen und Nachträge von Mahler wie auch von fremder Hand. Bei Lied 5, in dem sich A und StV mehrfach diametral widersprechen (vgl. *Einzelanmerkungen*), wäre es denkbar, daß nicht wie bei den ersten vier Liedern A, sondern eine bisher unbekannt gebliebene Quellenschicht als Vorlage diente.

EA Gedruckte Erstausgabe der Partitur für Singstimme und Orchester, erschienen zwischen Juni und August 1905[33] im Musikverlag C. F. Kahnt Nachfolger, Leipzig; Plattennummer 4460a bis 4460e; Bayerische Staatsbibliothek, München.

An einigen Stellen gibt die gedruckte Partitur eine Lesart wieder, die weder A noch der korrigierten StV entspricht. Denkbar wäre,

[33] Das Erscheinungsdatum von EA ist nur annäherungsweise zu ermitteln. Die früheste Verlagsanzeige findet sich im Mai 1905 (vgl. *NZfM* LXXII, No. 10, 10. 5. 1905, S. 439), jedoch noch ohne Preisangaben. Erst eine Anzeige vom Juni 1905 (vgl. *NZfM* LXXII, Nr. 26/27, 28. 6. 1905, S. 578) annonciert die „Komplette Klavier-Ausgabe", „Partitur" und „Stimmen" mit genauen Preisauszeichnungen. Der monatlich erscheinende Hofmeister-Bericht musikalischer Novitäten verzeichnet erst im August 1905 das Erscheinen der Klavierausgabe und der Partitur der Orchesterfassung (vgl. *Musikhandel und Musikpflege* VII, Nr. 46/47, 24. 8. 1905, S. 231). Da anzunehmen ist, daß der Verlag erst mit Bekanntgabe der genauen Preise seine Druckerzeugnisse auf den Markt brachte, ergibt sich als möglicher Erscheinungszeitraum für EA und EAKl die Zeitspanne zwischen Juni und August 1905.

version for voice and piano, that there was an intervening proof stage between StV and EA, checked by Mahler, though in the case of the orchestral version no such proof stage is at present known to have existed.[34]

It is possible that at such a proof stage Mahler may also have added the annotation which is printed on the title page of EA and (with slightly altered wording) on the first page of the music; the exact origins of this annotation are not known for certain. 'The 5 songs are conceived as a unified, indivisible whole,' this note says, 'and continuity must therefore be preserved in their performance. (Interruptions, e.g. applause at the end of numbers, are to be avoided.)' (Title page.) That Mahler specifically wished the public to be aware of this injunction is shown by his exchange of letters with Herwarth Walden in connection with the Berlin performance of the *Kindertotenlieder* (on 14 February 1907).[35]

daß hier, ähnlich wie bei der Fassung für Singstimme und Klavier, zwischen StV und EA ein von Mahler durchgesehener Bürstenabzug vermittelte, von dessen Existenz jedoch im Falle der Orchesterfassung bis heute nichts bekannt ist[34].

Möglicherweise wurde auf einem derartigen Bürstenabzug von Mahler auch die Anmerkung nachgetragen, die in EA auf dem Titelblatt wie auch (in etwas verändertem Wortlaut) auf der ersten Notenseite abgedruckt wurde, und über deren genaue Herkunft sonst Konkretes nicht in Erfahrung zu bringen ist: „Die 5 Gesänge sind als ein einheitliches, untrennbares Ganzes gedacht und es muss daher bei einer Aufführung derselben die Continuität (auch durch Hintanhaltung von Störungen, w.[ie] z. B. Beifallsbezeugungen am Ende einer Nummer) aufrecht erhalten werden." (Titelblatt). Daß es Mahlers ausdrücklicher Wunsch war, diese Anmerkung dem Publikum bekannt zu machen, zeigt der in Zusammenhang mit der Berliner Aufführung der *Kindertotenlieder* (14. 2. 1907) stehende Briefwechsel Mahlers mit Herwarth Walden[35].

Akl — Autograph manuscript of songs 2 - 5 in the version for voice and piano, 12 pages written in ink, unpaginated

AKl — Autographes Manuskript der Lieder 2 - 5 in der Fassung für Singstimme und Klavier, 12 mit Tinte

[34] Equally, there is no record of the survival of any copy of materials used for the orchestral parts. Nor does Zoltan Roman include the orchestral parts in his inventory of the sources of the *Kindertotenlieder*: cf. Gustav Mahler, *Sämtliche Werke,* vol. XIV, part 3, pp. V-VII. It is somewhat confusing, therefore, that Roman twice refers to the orchestral parts in his *Einzelanmerkungen*: cf. ibid., pp. XIVf.

[35] The printed programme for this recital, at which the composer himself played the piano accompaniment, includes the note mentioned

[34] Über den Verbleib eines Exemplars des Orchesterstimmenmaterials ist bisher ebenfalls nichts bekannt. Dementsprechend verzeichnet Zoltan Roman in seinen Quellenangaben zu den *Kindertotenliedern* keine Orchesterstimmen; vgl. Gustav Mahler, *Sämtliche Werke,* Bd. XIV, Teilbd. 3, S. V-VIII. Um so verwirrender allerdings ist die Tatsache, daß Roman in den *Einzelanmerkungen* zweimal auf die Orchesterstimmen verweist; vgl. a.a.O., S. XIVf.

[35] Der Programmzettel zu diesem Liederabend, bei dem Mahler selbst am Klavier begleitete,

and undated: Pierpont Morgan Library, Robert O. Lehmann Collection, New York.

Songs 2 and 5 are written on horizontal format paper (24 and 18 staves respectively), without titles; songs 3 and 4 are on vertical format paper (each 20 staves) and contain, on the upper edge of the paper next to the opening words of the text, the inscription *'aus "Kindertodtenlieder" von Rückert'*.

In the case of song 2, which - as against the later printed edition - is notated in C sharp minor, AKl includes a separate sheet on which Mahler has sketched nine variants for the transition from the first to the second stanza (bars 18–21; in some instances incomplete).[36]

AKl seems to represent two distinct phases of work on Mahler's part. The manuscripts of songs 3 and 4, which contain precise details of title and authorship and are written in a neat hand throughout, without corrections, plainly have the character of fair copies. The manuscripts of songs 2 and 5, on the other hand, which contain numerous additions and alterations and seem altogether to have been written more hurriedly, are more likely to be full first drafts; generally such a draft would be followed by a fair copy, representing a further phase of work.[37] Nothing is known of the

in Mahler's letter, set out conspicuously beneath the opening words of the individual songs: cf. Rudolf Stephan, 'Mahlers letztes Konzert in Berlin [...]', pp. 491ff.

36 A facsimile of this sketch-sheet is in Mitchell, *Gustav Mahler. Songs and Symphonies* [...], p. 118

37 In StVKl, the copies of songs 2 and 5 were also undoubtedly based on AKl; hence for these two songs Mahler did not produce a fair copy.

beschriebene Seiten, unpaginiert und undatiert; Pierpont Morgan Library, Robert O. Lehmann Collection, New York.

Die Lieder 2 und 5 wurden ohne Titelangabe auf querformatigem Papier (24 bzw. 18 Systeme) niedergeschrieben, Lied 3 und 4 stehen auf hochformatigem Papier (jeweils 20 Systeme) und tragen am oberen Blattrand neben dem jeweiligen Textincipit auch den Vermerk: „aus ‚Kindertodtenlieder' von Rückert".

Zu Lied 2, das im Manuskript abweichend zum späteren Druck in cis-Moll notiert ist, befindet sich in AKl ein separates Skizzenblatt, auf dem Mahler neun Varianten der Überleitung von der ersten zur zweiten Strophe (T. 18 - 21, teilweise unvollständig ausgeführt) skizzierte[36].

AKl scheint zwei verschiedene Arbeitsstufen Mahlers zu repräsentieren. Die Manuskripte der Lieder 3 und 4, die eine exakte Titel- und Autorenangabe enthalten, durchgehend sauber und frei von Korrekturen geschrieben sind, tragen eindeutig Reinschriftcharakter. Bei den Manuskripten von Lied 2 und 5 dagegen, die mehrfach Ergänzungen und Verbesserungen aufweisen und insgesamt hastiger geschrieben erscheinen, dürfte es sich eher um eine vollständige Erstniederschrift handeln, der dann in einem weiteren Arbeitsgang gewöhnlich die Reinschrift folgte[37].

enthielt unter den Textincipits der einzelnen Lieder, optisch auffallend abgesetzt, die von Mahler brieflich geforderte Anmerkung; vgl. dazu Rudolf Stephan, *Mahlers letztes Konzert in Berlin* [...], S. 491 ff.

36 Das Skizzenblatt ist faksimiliert in Mitchell, *Gustav Mahler. Songs and Symphonies*, S. 118.

37 Da in StVKl auch die Lieder 2 und 5 zweifelsohne nach AKl angefertigt wurden, hat Mah-

whereabouts either of an analogous first draft or of a fair copy of song 1. The Archiv der Gesellschaft der Musikfreunde in Vienna, however, possesses a sketch-sheet of song 1 (Sign. VI 58648), horizontal format, 20 staves, containing bars 1-51.[38] The particularly striking points about this manuscript - which is obviously to be regarded as a sketch of the piano version (cf. the entry 'r.[ight] H.[and]' in bar 24) - are two instrumentation indications in bar 20: right hand '*(Glöcklein)*' (little bell), left hand '*Glocke*' (bell), which, together with the entry 'Picc[olo]' in the manuscript of song 5 (p. 2, bar 54), may be understood as indications that Mahler had the orchestral version of his *Kindertotenlieder* in mind from the very beginning.[39]

StVKl Handwritten engraver's copy of the version for voice and piano: Gustav Mahler Archiv, Internationale Gustav Mahler Gesellschaft, Vienna.

This copy, comprising 37 pages, has numerous corrections and additions made by several people, including some by Mahler.

StVKl contains two versions of song 2. The first version, the basis of which (as with all the other songs) was AKl and which still has song 2 in C sharp minor, has been deleted; on an empty sheet of music paper

[38] cf. the facsimile on p. XXXVIII; a facsimile of this sketch is also in Mitchell, *Gustav Mahler. Songs and Symphonies* [...], p. 137

[39] In the orchestral manuscript these indications are carried out in the actual scoring of the relevant passages.

Über den Verbleib einer derartigen Erstniederschrift bzw. Reinschrift von Lied 1 ist nichts bekannt. Allerdings verwahrt das Archiv der Gesellschaft der Musikfreunde, Wien zu diesem Lied ein Skizzenblatt (Signatur: VI 58648) in Querformat mit 20 Systemen, auf dem sich die Takte 1-51 befinden[38]. Besonders auffällig an diesem eindeutig als Skizze zur Klavierfassung anzusehenden Manuskript (vgl. Eintrag „r.[echte] H.[and]" in Takt24) sind zwei Instrumentationsangaben in Takt 20: rechte Hand „(Glöcklein)", linke Hand „Glocke", die sich, wie auch die Eintragung „Picc[olo]" im Manuskript von Lied 5 (Seite 2, Takt 54), als Hinweis verstehen lassen, daß Mahler für seine *Kindertotenlieder* von Anfang an auch die Fassung für Orchester im Blick hatte[39].

StVKl Handschriftliche Stichvorlage der Fassung für Singstimme und Klavier; Gustav Mahler Archiv, Internationale Gustav Mahler Gesellschaft, Wien.

Das 37 Seiten umfassende Exemplar weist an zahlreichen Stellen Korrekturen und Nachträge von mehreren Personen auf, darunter auch von Mahler.

Von Lied 2 enthält StVKl zwei Versionen. Die erste Version, der, wie allen anderen Liedern auch, AKl zugrundelag, und die Lied 2 noch in cis-Moll wiedergibt, ist gestrichen; auf einem ihr vorange-

ler eine derartige Reinschrift dieser beiden Lieder nicht mehr hergestellt.

[38] vgl. das Faksimile auf S. XXXVIII; dieses Skizzenblatt ist ebenfalls faksimiliert in Mitchell, *Gustav Mahler. Songs and Symphonies*, S. 137.

[39] Im Orchestermanuskript sind diese Vermerke an den entsprechenden Stellen in der Instrumentation verwirklicht.

inserted before it is the instruction, '*um 1/2 halben* [*Ton*] *tiefer / zu transponiren*' (to be transposed 1/2 half [a tone] lower). The second version, transposed into C minor, is not in the hand of the copyist who transcribed the first version of this song (as well as the other four songs); it incorporates, however, most of the corrections and additions that had already been made in the first version.

BüKl Proof copy of the version for voice and piano; Stanford University Library, USA.

This proof copy already gives the text of EAKl, apart from two incorrect passages which Mahler subsequently corrected.

NZfM Preprint of song 4 in the version for voice and piano, published as *Musikbeilage No. 15 der Neuen Zeitschrift f. Musik, Leipzig*, no. 20, 10 May 1905.

This printed version differs both from BüKl and StVKl and from EAKl in some details of articulation and dynamics. It represents a state of the text intermediate between those of StVKl and BüKl. This preprint was possibly part of an initial proof copy of all five songs in which Mahler made the alterations and additions which were first adopted in BüKl.

EAKl First printed edition of the version for voice and piano, published between June and August 1905[40] by Musikverlag C. F. Kahnt Nachfolger, Leipzig, plate numbers 4459a - 4459e: Deutsche Staatsbibliothek, Berlin (East).

[40] cf. footnote 33 above

stellten leeren Notenblatt befindet sich der Hinweis „um 1/2 halben [Ton] tiefer/zu transponiren". Die zweite, nach c-Moll transponierte Version, die nicht aus der Feder des Schreibers stammt, der die erste Version dieses Liedes sowie auch die restlichen vier Lieder schrieb, berücksichtigt jedoch die meisten der Korrekturen und Ergänzungen, die bereits in der ersten Abschriftversion vorgenommen wurden.

BüKl Bürstenabzug der Fassung für Singstimme und Klavier; Stanford University Library, USA.

Dieser Bürstenabzug gibt bis auf zwei fehlerhafte Stellen, die von Mahler korrigiert wurden, bereits den Text von EAKl wieder.

NZfM Vorabdruck von Lied 4 in der Fassung für Singstimme und Klavier als *Musikbeilage No. 15 der Neuen Zeitschrift f. Musik, Leipzig* zur Nr. 20 vom 10. Mai 1905.

Dieser Druck weicht in Artikulation und Dynamik an einigen Stellen sowohl von StVKl als auch von BüKl und EAKl ab. Er repräsentiert eine Textstufe, die zwischen StVKl und BüKl einzuordnen ist. Möglicherweise war dieser Vorabdruck Teil eines ersten, alle fünf Lieder umfassenden Korrekturabzuges, in dem Mahler die Änderungen und Nachträge vornahm, die in BüKl erstmals Berücksichtigung fanden.

EAKl Gedruckte Erstausgabe der Fassung für Singstimme und Klavier, erschienen zwischen Juni und August 1905[40] im Musikverlag C. F. Kahnt Nachfolger, Leipzig; Plattennummer 4459a bis 4459e; Deutsche Staatsbibliothek, Berlin (Ost).

[40] vgl. Anm. 33

This edition comprises 31 pages and gives the text of the vocal part in German only.[41]

The principal basis for the present edition of the *Kindertotenlieder* has been the first edition of the work in the version for voice and orchestra. There are two reasons why this edition ranks highly among the extant sources, making it tantamount to the composer's final version. In the first place, Mahler supervised the printing of this edition, with the result that numerous alterations and additions were included over and against A. Probably – as was always his custom – Mahler took account of lessons learned in the first rehearsals and performances,[42] when the players still had to work from handwritten copies.[43] In the second place, there is no evidence that Mahler subsequently found it necessary, as was gen-

[41] An English translation of the text appears only in later editions; cf. *Handbuch der musikalischen Literatur* [...], *15. Band oder 12. Ergänzungsband. Die von Anfang 1914 bis Ende 1918 neu erschienenen und neu bearbeiteten musikalischen Werke enthaltend, Alphabetischer Teil*, ed. Friedrich Hofmeister, Leipzig, undated, p. 285

[42] On this, cf. for example Mahler's letter of 15 May 1894 to Richard Strauss, who was planning a performance of the First Symphony: 'The manuscript in your possession no longer tallies exactly with the material despatched. The latter has been considerably retouched on the basis of the second copy in my possession, and in the process I have in fact taken advantage of lessons learned from the performance here.' Quoted in Gustav Mahler / Richard Strauss, *Briefwechsel 1888-1911*, ed. with a music-historical essay by Herta Blaukopf, Munich 1980, p. 36.

[43] cf. the added word '*Manuskript*' on the placard for the premiere: facsimile reproduction in Mitchell, *Gustav Mahler. Songs and Symphonies* [...], p. 40. Enquiries made to the Verlag C. F. Kahnt Nachfolger in Lindau, to the Internationale Gustav Mahler Gesellschaft in Vienna, to the Vienna Philharmonic Orchestra, to the Internationale Schönberg-Gesellschaft in Vienna and to the Arnold Schoenberg Institute in Los Angeles have yielded no information as to the whereabouts of these manu-

Die Ausgabe umfaßt 31 Seiten und gibt den Text der Singstimme lediglich in deutsch wieder[41].

Den Ausgangspunkt für die vorliegende Edition der *Kindertotenlieder* bildete die Erstausgabe des Werkes in der Fassung für Singstimme und Orchester. Zwei Umstände verleihen diesem Druck einen hohen Stellenwert innerhalb der vorhandenen Quellen und weisen ihm die Rolle einer Fassung letzter Hand zu: zum einen hat Mahler die Drucklegung dieser Ausgabe überwacht, so daß gegenüber A zahlreiche nachträgliche Veränderungen und Ergänzungen einfließen konnten. Wahrscheinlich griff Mahler dabei – eine für ihn durchaus übliche Praxis – auf Erfahrungen der ersten Proben und Aufführungen zurück[42], bei denen noch aus handschriftlichem Notenmaterial[43] gespielt werden

[41] Eine englische Übersetzung des Textes erscheint erst in späteren Ausgaben, vgl. *Handbuch der musikalischen Literatur* [...], *15. Band oder 12. Ergänzungsband. Die von Anfang 1914 bis Ende 1918 neu erschienenen und neu bearbeiteten musikalischen Werke enthaltend*, Alphabetischer Teil, hg. v. Friedrich Hofmeister, Leipzig o. J., S. 285.

[42] vgl. hierzu z. B. Mahlers Zeilen vom 15. 5. 1894 an Richard Strauss, der eine Aufführung der 1. Sinfonie plante: „das Manuscript das Sie in Händen deckt sich nicht mehr im Einzelnen mit dem übersandten Material. Dieses ist nach dem 2. Exemplar in meinen Händen ziemlich retouchirt, wobei ich mir eben die Erfahrungen der hiesigen Aufführung zu Nutzen gemacht habe.", zitiert nach Gustav Mahler/ Richard Strauss, *Briefwechsel 1888 - 1911*, hg. und mit einem musikhistorischen Essay versehen von Herta Blaukopf, München 1980, S. 36.

[43] vgl. den Zusatz „Manuskript" auf dem Uraufführungsplakat, faksimiliert bei Mitchell, *Gustav Mahler. Songs and Symphonies*, S. 40. Nachfragen beim Verlag C. F. Kahnt Nachfolger, Lindau, bei der Internationalen Gustav Mahler Gesellschaft Wien, bei den Wiener Philharmonikern, bei der Internationalen Schönberg-Gesellschaft Wien sowie beim Arnold Schoenberg Institute Los Angeles erbrachten über den Verbleib dieses handschriftlichen Uraufführungsmaterials, das

erally the case with his symphonies,[44] to do any further retouching to the *Kindertotenlieder.*

It is apparent, however, that a considerable number of dynamic marks and indications of articulation and phrasing, etc., in A were either overlooked by the copyists of StV or were only incompletely incorporated. Many of these oversights were not picked up later by Mahler, who is known often to have been hasty in his proof-reading concentrating primarily on giving further clarification to the notated text already in existence. Since elements of the original notated text for the first edition were thereby lost, it has not been possible to adhere slavishly to EA here. In instances where substantial losses are involved, the editors have seen fit to refer to the autograph version; the relevant adjustments to the text of EA are listed in the *Einzelanmerkungen.* In the same place are listed passages in which EA differs from readings that are identical with one another in sources A and StV. Only a proof copy of the version for voice and orchestra would be able to determine whether these passages in EA represent the composer's intention, i.e. are authorized changes, or whether they result simply from mistakes made by the engraver. Since no such proof copy is at present known to be extant, and since the sources of the piano version serve to resolve only a few of these passages, the text of EA has been retained wherever there is uncertainty.

script materials used at the first performance, which were also possibly used at the Graz performance of the *Kindertotenlieder* on 1 June 1905.

44 cf. for example Mahler's letter to Emil Hertzka, 21 February 1911, in Gustav Mahler, *Briefe*, new edn., enlarged and revised by Herta Blaukopf, Vienna and Hamburg 1982, p. 405

mußte. Zum anderen ist aus der Folgezeit nicht bekannt, daß Mahler, wie es größtenteils bei seinen Sinfonien der Fall war[44], es für nötig erachtete, Retuschen an den *Kindertotenliedern* anzubringen.

Es läßt sich jedoch beobachten, daß zahlreiche dynamische Angaben, Artikulationshinweise, Phrasierungsvorschriften etc. in A bereits durch die Schreiber von StV übersehen oder nur unvollständig übernommen wurden; viele solcher Versehen sind auch von Mahlers bekannterweise oft flüchtigen, vor allem auf weitere Verdeutlichung eines schon existierenden Notentextes ausgerichteten Korrekturen nicht wieder erfaßt worden. Da somit Bestandteile des ursprünglichen Notentextes für den Erstdruck verlorengegangen sind, verbot es sich, dem Text von EA sklavisch zu folgen. Wo es sich um substantielle Verluste handelte, sahen es die Herausgeber als gerechtfertigt an, auf die autographe Fassung zurückzugreifen. Diesbezügliche Eingriffe in den Text von EA sind in den *Einzelanmerkungen* ausgewiesen, wie auch jene Stellen, an denen EA von den sich gleichenden Lesarten der Quellen A und StV abweicht. Allein ein Bürstenabzug der Fassung für Singstimme und Orchester könnte darüber Aufschluß geben, ob es sich bei diesen Stellen in EA um den Komponistenwillen und damit autorisierte Änderungen oder einfach um Versehen des Stechers handelte. Da die Existenz eines derartigen Bürstenabzuges bisher nicht bekannt geworden ist und die Quellen der Klavierfassung nur in einzelnen Fällen eine Entscheidungshilfe boten, wurde in Zweifelsfällen der Text von EA belassen.

möglicherweise auch noch bei der Grazer Aufführung der *Kindertotenlieder* (1. 6. 1905) verwendet wurde, keine Klärung.

44 vgl. dazu z. B. den Brief Mahlers an Emil Hertzka vom 21. 2. 1911, in: Gustav Mahler, *Briefe*, Neuausgabe erw. und rev. v. Herta Blaukopf, Wien und Hamburg 1982, S. 405

Editing principles

Obvious errors and omissions in the main source EA have been silently corrected. Instances in which the edited text differs from the main source are listed in the *Einzelanmerkungen* (below); references to the sources of the piano version have been given only if they resolve the issue. Also included in the *Einzelanmerkungen* are those passages in which EA differs from readings that are indentical with one another in A and StV, as well as passages in which StV and EA yield readings which neither correspond to A nor can be traced back to handwritten corrections in StV.

The markings [ ] and ⌒ indicate additions which the editors have regarded as warranted by the immediate context.

Mention must be made of a distinctive feature of Mahler's method of notation which, in keeping with practice in the main source, has not been used in this edition. The dynamic pattern

which occurs in all of the songs, is always notated

in Mahler's autographs. The composer presumably used this method of notation as an indication that the accentuation is an integral part of the rise and fall in dynamic level and as a visual deterrent against excessive emphasis being placed on the accented note. Where there are deviations in EA from the standard way of notating this dynamic pattern, e.g.

a silent correction has been made.

Editionsprinzipien

Offensichtliche Fehler und Versehen der Hauptquelle EA wurden stillschweigend verbessert. Abweichungen des edierten Textes von der Hauptquelle sind in den nachfolgenden *Einzelanmerkungen* aufgeführt, wobei der Hinweis auf die Quellen der Klavierfassung nur dort erfolgte, wo diese eine Entscheidungshilfe darstellten. In den Einzelanmerkungen ebenfalls verzeichnet sind jene Stellen, an denen sich EA von der übereinstimmenden Lesart von A und StV unterscheidet, sowie auch jene Stellen, an denen StV und EA eine Lesart wiedergeben, die weder A entspricht noch auf handschriftliche Korrekturen in StV zurückzuführen ist.

Die durch [ ] und ⌒ gekennzeichneten Eintragungen sind Ergänzungen der Herausgeber, die vom unmittelbaren Kontext her möglich erschienen.

Auf eine Schreibeigenart Mahlers, die in Anlehnung an die Hauptquelle nicht in die Edition übernommen wurde, sei hingewiesen. Das in allen Liedern anzutreffende dynamische Modell

ist in den Autographen Mahlers stets in der Form

notiert. Vermutlich beabsichtigte der Komponist, mit dieser Notierungsweise die Einbindung der Akzentuierung in das dynamische An- und Abschwellen zu verdeutlichen und bereits graphisch einer allzu starken Hervorhebung des akzentuierten Tones entgegenzuwirken. Wo EA in der im Notenstich üblichen Anordnung dieses Modells Unstimmigkeiten wie z. B.

aufwies, wurde ohne besondere Kennzeichnung korrigiert.

This edition does not follow the layout of the score in A, StV and EA, in which the vocal part is placed between the staves of the violas and cellos; the customary modern layout has been used.

Specifications of instruments and performance marks, all given in German by Mahler, have been translated into Italian to conform to the international style adopted in the Eulenburg miniature score series.

Andreas Ballstaedt
Klaus Döge
Translation Richard Deveson

Die Partituranordnung von A, StV und EA, die die Singstimme zwischen den Systemen von Viola und Violoncello plaziert, wurde in der vorliegenden Edition zugunsten des heute gebräuchlichen Partiturbildes aufgegeben.

Die von Mahler durchgehend in deutscher Sprache notierten Instrumentenangaben und Spielanweisungen wurden aus Gründen der Einheitlichkeit und Internationalität der Eulenburg-Taschenpartitur-Reihe ins Italienische übertragen.

Andreas Ballstaedt
Klaus Döge

Einzelanmerkungen

Die Anmerkung „Diese 5 Gesänge sind als ein einheitliches, untrennbares Ganzes gedacht [...]" nach EA und EAKl (in beiden Quellen sowohl auf Titelblatt, als auch, mit unerheblichen Textabweichungen, auf erster Notenseite); in den übrigen Quellen nicht verzeichnet.

1. Nun will die Sonn' so hell aufgehn

Die Besetzung der Oboe in EA ist widersprüchlich: am Anfang des Liedes heißt es „1 Oboe", in T. 63 jedoch wird „a 2" gefordert; T. 65 verzeichnet wiederum „I. Solo". Diese Besetzungswidersprüchlichkeit geht zurück auf StV, wo in T. 65 mit dickem Bleistift sowohl für die Flöte wie auch die Oboe „I" hs. nachgetragen wurde. Doch scheint es, daß sich die I-Angabe über dem Oboensystem ursprünglich schon auf die Flöte bezog (Pausensetzung), was dann durch die andere „I" zusätzlich verdeutlicht werden sollte.

Takt 7 Fg. 1 N. 1 *p* nicht in A und StV; < > nach A und StV; EA: < >

11–15 Arpa Phrasierung nach A; in StV:

Offenbar vergaß der Schreiber von StV den Phrasierungsbogen nach dem Seitenwechsel (T. 15); in EA:

15 Cor. 1 A und StV: ungebunden; EA (wie StVKl und EAKl): gebunden

17 Cl. < nach A; nicht in StV und EA

18 Cl. *pp subito* nach A; in StV nur *subito*; das *pp* versehentlich bei Cl. b. plaziert; EA: nur *pp* bei Cl. b.; Cl. ohne dynamische Angabe

20 Cl. b. *p* nach A und StV; nicht in EA

20, 21 Cor. 2 ⟩ nicht in A

23 Ob. N. 1/2 in A: gebunden

24 Voce *p* nicht in A und StV; EA wie StVKl und EAKl

28 Cl. *p* nicht in A und StV

29 Cl. N. 1 > nach A (wie StVKl und EAKl); nicht in StV und EA

30 - 32 Cl. Phrasierung in A:

31 Ob. *dim.* nach A; nicht in StV und EA

32 Arpa unteres System N. 1 > nach A und StV; nicht in EA

32 - 36 Arpa Phrasierung in A und StV:

32, 33 Vc. *pp ohne Ausdruck* Plazierung nach A und StV; in EA als zusammenhängende Angabe in T. 32

34 Voce N. 1/2 Bindung nicht in A; StV und EA (wie StVKl und EAKl): gebunden

36 Vla. Bindung nach A; nicht in StV und EA

37 - 41 Fg. Phrasierung in A:

42 Cl. b. in A und StV:

49 Ob. ⟨ nach A; nicht in StV und EA

51 Ob. N. 1 *sf* nicht in A und StV

52 Arpa N. 1 > nach A und StV; nicht in EA

Vl. I N. 2/3 Glissando-Angabe nach A; nicht in StV und EA

53, 54 Vl. I N. 1 ⟨ ⟩ nach A; nicht in StV und EA

54 - 57 Voce Phrasierung nach A unter Berücksichtigung der Textänderung (A: *ewige*; in StVKl korrigiert zu: *ew'ge*; StV und EA wie EAKl); in StV:

großer Phrasierungsbogen nach Seitenwechsel vergessen; in EA:

in's ew' - - - - ge Licht__

54 Vl. I N. 3/4 Glissando-Angabe nach A; nicht in StV und EA

56 Voce N. 2/3 > nach A (wie StVKl und EAKl); nicht in StV und EA

57 Cb. *p* nach A; nicht in StV und EA; *p* in StV und EA versehentlich bei Vc. plaziert

58 Vl. I N. 6/7 Glissando-Angabe nach A; nicht in StV und EA

60, 61 Fg. Dynamik in A und StV: *f*

60 Vl. I N. 2/3 und N. 6/7 Glissando-Angaben nach A; nicht in StV und EA; N. 5/6 < nicht in A; EA wie StVKl und EAKl

60 Vla. N. 3 A und StV: *f*

61 Ob. N. 1 *p* nicht in A und StV

Vl. I A und StV:

Vc. N. 3 A, StV und EA: ; StVKl und EAKl:

Vc. N. 4 A und StV: *f*

62 Vl. I N. 8 > nicht in A und StV; EA wie StVKl und EAKl

63 Vl. I N. 5–7 > nicht in A und StV

69 Voce N. 1–3 Bindung in A und StV: - losch ; EA (wie StVKl und EAKl): - losch

70 Cor. 1 < nach A; nicht in StV und EA

73–77 Arpa Phrasierungsbogen nicht in A und StV

76 Voce Doppelvorschlag nicht in A und StV; EA wie StVKl und EAKl

Vla. *pp* nicht in A

77–80 Vl. II Phrasierung nach A; in StV:

in EA:

78 Vc. N. 1/2 und N. 3/4 < > nach A; nicht in StV und EA

79 Vl. I, II < nicht in A und StV

80 Voce < > nicht in A; Nachtrag in StV (wie StVKl und EAKl); in EA versehentlich bei Vla. plaziert

Vla. und Vc. *pp* nicht in A und StV

82 Voce > nach A und StV; nicht in EA

83 Cor. 1, 2 > nicht in A

2. Nun seh' ich wohl, warum so dunkle Flammen

5 Cl. 1 Phrasierung nach A und StV; in EA:

9 Voce N. 1/2 *sprühtet* nach A (wie AKl, StVKl und EAKl; auch in der Rückertschen Gedichtvorlage); in StV und EA: *sprühet*

10, 11 Voce N. 3 – N. 1/2 A: *p* (in T. 10); in StV *p* hs. gestrichen und korrigiert zu: < > ; EA: *p* < >

11, 12 Vl. II A: ; StV und EA (wie AKl, StVKl und EAKl):

Vla. Bindung nach A; in StV: ,

in EA:

12 Voce A und StV: *steigernd*; EA (wie Nachtrag in StVKl und EAKl): <

13 Voce *pp* nicht in A und StV; EA wie Nachtrag in StVKl und EAKl

24 Voce N. 3/4 A und StV: gebunden; EA (wie AKl, StVKl und EAKl): ungebunden

26 Fg. Angabe „I" nicht in A und StV

30 – 33 Cb. A: ohne dynamische Angaben; StV:

p *p* *p*

EA stets: *f* *p*

31 Fg. Angabe „I" nicht in A und StV

Cor. N. 1 > nach A; nicht in StV und EA

Arpa N. 9: nach A;

in StV und EA:

32 Arpa N. 6 - 9 in A: ungebunden

33 Cor. und Arpa N. 1 *p* nach A; nicht in StV und EA

36 Voce A und StV (wie transponierte StVKl):

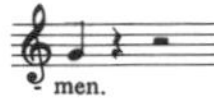

EA (wie AKl, ursprüngliche StVKl und EAKl):

36 - 38 Vc. Phrasierung nach A (wie AKl, StVKl und EAKl); in StV: ;
die Bedeutung der beiden nachgetragenen Bögen T. 36/37 bzw. T. 37/38 ist unklar; EA:

37 Vc. *nicht riteniren* nach A und StV; nicht in EA

Vc. Vorschlag zu N. 4 nach A; nicht in StV und EA

39, 40 Voce *zurückhaltend* nicht in A und StV; EA wie Nachtrag in ursprünglicher StVKl und EAKl

41, 42 Voce Phrasierung A und StV: Leuch - ten sa - gen:
EA wie AKl, StVKl und EAKl

43 Voce *pp* nicht in A und StV; EA wie Nachtrag in StVKl und EAKl

46 Fl. *pp* nicht in A und StV

Fg. *sf* nicht in A

49 Voce *pp* nach A und StV (wie EAKl); nicht in EA

52 Vl. II *p* nicht in A und StV

53 Vc. N. 1 > nicht in A

55 Arpa A: ungebunden

56 Voce N. 1 > nicht in A und StV; EA wie Nachtrag in StVKl und EAKl

58 Arpa N. 1 *p* nach A; nicht in StV und EA

59 Cl. A und StV: <

60 *rit.* nicht in A und StV; EA wie Nachtrag in StVKl und EAKl

61 Arpa Phrasierung nach A; in StV und EA:

62 Voce N. 1/2 >> nicht in A und StV; EA (wie AKl und StVKl): >>; EAKl:

Voce N. 1/2 Phrasierung in A:

62 - 64 Voce Phrasierung nach A;

in StV:

in künft' - gen Näch - ten

in EA:

in künft' - gen Näch - ten

62 Vc. nach A und StV; nicht in EA

63 Vla. N. 1 *pp* nach A; nicht in StV und EA

65 Voce nicht in A und StV; EA wie AKl, StVKl und EAKl

Cb. N. 1 *pp* nach A; nicht in StV und EA

66 Voce *pp subito* nicht in A und StV; EA wie EAKl

3. Wenn dein Mütterlein

3 C. ing. nicht in A und StV

6 Ob. Phrasierung nach A (wie EAKl); StV und EA:

C. ing. N. 2/3 A und StV: *espr.*

9 Fg. 1 N. 1 > nicht in A und StV

17 Voce *mp* nicht in A; in StV Nachtrag: *pp* (wie StVKl und EAKl); EA: *mp*

25, 26 Vla. N. 3 - N. 1 A: gebunden; StV und EA (wie EAKl): ungebunden

26 Voce N. 1 - 4 Portato-Striche nicht in A und StV; EA wie AKl, StVKl und EAKl

31 Voce N. 3/4 A: *einst* (wie AKl); in StVKl korrigiert zu: *sonst*; StV und EA (wie EAKl): *sonst*

38 Ob. Phrasierung A und StV:

Cl. b. N. 1 *pp* nicht in A und StV

39 Ob. Phrasierung A und StV:

40 *Etwas fließend* nicht in A und StV

40, 41 Ob. Phrasierung in A:

40 Cl. b. A: *pp subito*

48, 49 C. ing. N. 2/3 < nicht in A und StV

48 Arpa A und StV: *f*

54 Cor. 1 ' nach N. 2 nach A; nicht in StV und EA

55, 56 Fg. und Cor. A: < | > >

58 - 60 Voce > nicht in A und EA; in StV ist beginnend in T. 58 im System von Vc. eine große Decresc.-Gabel eingetragen, die zweifelsohne der Singstimme zuzuordnen ist (vgl. *f*-Eintrag im Syst. der Singstimme am Seitenbeginn (T. 56), sowie die Textanalogie: *schnelle, zu schnell erlosch'ner*)

64, 65 *Wieder wie zu Anfang* nach A und StV plaziert (wie AKl, StVKl und EAKl); in EA erst T. 65/66

4. Oft denk' ich, sie sind nur ausgegangen

2 Cor. 1 Vorschlag zu N. 3 gebunden nach A und StV (vgl. auch Vl. I); in EA (wie AKl und EAKl): ungebunden

Vl. I, II N. 4 > nicht in A und StV; EA wie AKl, StVKl und EAKl

3 Ob. 1 A und StV: < >

6 Voce *aber warm* nicht in A; Nachtrag in StV

Vc. *pp* nicht in A; Nachtrag in StV

8, 9 Vc. N. 7 – N. 1 Phrasierung nach A und StV (wie StVKl und EAKl); in EA:

13, 14 Cl. N. 1 *p* nach A und StV; nicht in EA

14 Voce A: (*p*); in StV korrigiert zu: (*pp*); *zart* nach A und StV (wie AKl, StVKl und EAKl); nicht in EA

18 Cor. A und StV: ♩ (keine Doppelhalsung); da in A und StV jedoch beide Phrasierungsbögen eindeutig bei diesem Ton beginnen, liegt Doppelhalsung nahe

21 Voce A und StV (wie AKl, StVKl, NZfM): > <; EA wie EAKl

22 Ob. 2 *p* nicht in A und StV

36 Arpa Arpeggierung nach A und StV; nicht in EA

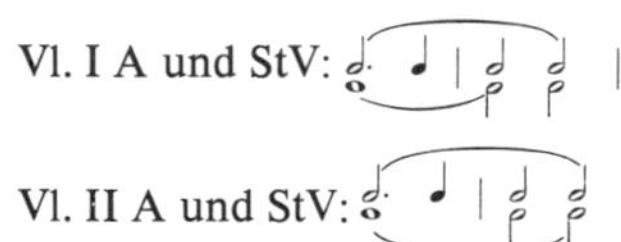

42 Voce N. 1 - 3 ⟩ nicht in A und StV; EA wie EAKl

45 Cl. 2 N. 1 > nicht in A und StV

47, 48 Voce N. 4/N. 1 A und StV: *voran-*; EA (wie AKl, StVKl und EAKl): *voraus-*

50, 51 Vl. II N. 4 - N. 1 A und StV: ungebunden; EA (wie AKl, StVKl und EAKl): gebunden

52 Voce A und StV: hier nach ; EA (wie AKl, StVKl und EAKl): wie - der nach

54, 55 Cor. Phrasierung nach A; in StV ohne Phrasierungsbogen; in EA:

63 - 65 Vla. Phrasierung nach A und StV; in EA:

65 Vl. II N. 1 A und StV: *espr.*

66, 67 Voce ⟨ nach A (wie AKl und EAKl); in StV versehentlich bei Vla. plaziert; so auch in EA

68 Voce N. 2/3 A und StV: ohne >; EA (wie StVKl, NZfM und EAKl): mit >; AKl: Akzent nur auf N. 2

Voce N. 3/4 ⟩ nach A und StV (wie AKl); nicht in EA (wie StVKl, NZfM und EAKl)

Voce, Vl. II, Vla. und Vc. A und StV: *poco rit.*; EA: *poco rit.* unter dem System von Cb.; da in T. 67 in Vl. I das *poco rit.* zu *rit.* korrigiert wurde, entschieden sich die Hg., auf die Angabe *poco rit.* zu verzichten

69 A in Syst. 2 sowie zwischen Syst. 12/13 (Vla./Voce): *zögernd*; in StV Angabe in Syst. 2 gestrichen und durch *a tempo* ersetzt; untere Angabe jedoch weder gestrichen noch verändert. Bei der in EA als Spielanweisung der Vla. wiedergegebenen Angabe *ppp zögernd* wurde von den Hg. in Analogie zur gestrichenen Angabe in Syst. 2 *zögernd* getilgt.

69, 70 Vc. N. 6 – N. 2 Phrasierung nach A und StV; in EA:

71 Vc. N. 1 - 3 Phrasierung nach A und StV; EA:

5. In diesem Wetter

Besetzungsvorschrift *Harfe* nach A und StV; in EA fälschlicherweise *Harfen*.

1 Fl. A: *pp*

Vl. I A: *p*

Vl. II und Vla. A: *pp*

1, 2 Vc. N. 4 *p* nach A; nicht in StV und EA

1 Cb. *p* nach A; nicht StV und EA

2 Vl. II N. 1 *f* und N. 2 – 6 *mf* > nicht in A

2, 3 Vla. N. 3 – N. 2 *mf* > *p* nicht in A

3 Fl. und Cl. 1 A: *sempre pp*

Vl. I A: *sempre p*

Vl. II A: N. 1 ohne *p*; N. 2 – 6 *sempre pp*

4 Cl. 1 N. 1/2 A: ungebunden

5 Vla. A: *sempre pp*

Cb. N. 1 *pp* nach A; nicht in StV und EA

6 Cl. b. Bindung A und StV: | ♩ ♩ ♩ ♩ |

6, 7 Cor. 3, 4 A und StV: *p* bereits auf Zählzeit 3 in T. 6

Cb. Phrasierung A: ♩ ♩ ♩ ♩ | 𝅗𝅥 𝅗𝅥 | ; StV und EA

(wie EAKl): ♩ ♩ ♩ ♩ | 𝅗𝅥 𝅗𝅥

7 Picc. N. 1 *f* nicht in A

8 Fl. A und StV: *f* > *p*; Phrasierung in A: ♪𝅗𝅥. ♫♩ |

Fg. > nicht in A

Vl. I Bindung nach A (wie AKl und StVKl); StV und EA (wie EAKl): ♫

9 Cfg. N. 1 > nach A und StV; nicht in EA

Vla. A: *pp*

9, 10 Vl. I Vorschlagsnoten ♬ nach A; StV und EA (wohl durch Schreibfehler in StV): ♬

10 Vl. I A: Doppelvorschlag ungebunden

11 Vl. II Vorschlagsnoten ♬ nach A; StV und EA (wohl durch Schreibfehler in StV): ♬

12 Fl. a 2 nicht in A und StV

Ob. a 2 nach A; nicht in StV und EA

12–14 Ob. Phrasierung A:

15 Fl. A: a 2

Ob. Angabe „I" nach A und StV; nicht in EA (vgl. jedoch Einsatz T. 19: a 2)

Fg. A: Vorschlag ungebunden; EA (wie AKl, StVKl und EAKl): gebunden

Vl. I A: *p*

Vl. II A: *pp*

Vla. A:

16, 17 Vl. II N. 3–N. 1 A: *sempre pp*

17 Vc. A: *f* > *pp*

18 Ob. 1 *pp* nicht in A und StV

23 Voce N. 1 A und StV: < ; EAKl: >

Vc. N. 2 A: >

25 Vc. *pp* nach A; nicht in StV und EA

26, 27 Fl. Phrasierung A:

Fg. Phrasierung A:

26 Voce N. 3/4 A und StV: gebunden; EA (wie EAKl): ungebunden

27 Fl. und Ob. A:  (wie AKl); in StVKl

korrigiert zu: 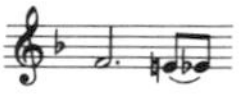 ; EA wie EAKl

28 Fl. Phrasierung A:

Vc. A: Vorschlag ungebunden

30 Fl., Ob., C. ing., Cl., Cl. b., Fg., Cfg. und Cor. 3, 4 *ff* nach A; in StV, in der *f*/*ff*-Angaben durchgehend kaum unterscheidbar sind, ist an dieser Stelle *ff* eindeutig lesbar nur bei Fg. und Cfg.; bei den übrigen Instrumenten sind beide Lesarten (*f* bzw. *ff*) denkbar; EA: bei allen Instrumenten: *f*

33, 34 Fl. A und StV: a2 *p*

C. ing. A und StV: *p*

33 Cl. *pp* nicht in A und StV

Cl. b. A: *p*; StV: ohne dynamische Angabe; EA: *pp*

Cfg. A und StV: *p*

34 Voce N. 2/3 Bindung nicht in A; StV und EA wie AKl, StVKl und EAKl

35 Fl. *p* nicht in A und StV

36 Fl. A und StV: *sf* >

37, 38 Cl. b. und Cfg. Phrasierung nach A und StV (vgl. Vc. und Cb.); EA:

38 Fg. *pp* > nach A; StV und EA: nur *pp*

Vl. I A: *f* > *pp*

40 C. ing. N. 2 *ppp* nach A und StV; EA: *pp*

Vl. I *mf* > *pp* nicht in A und StV

43 Cl., Vla. und Vc. *pp* nicht in A und StV

44 Cl. 2 Haltebogen nach A (wie EAKl); StV und EA:

Cor. 1 Angabe „I" nicht in A und StV; Phrasierung A:

45, 46 C. ing. N. 2/3 A und StV: ; EA:

48, 49 C. ing. Phrasierung A:  ;

in StV:

49 - 51 Cl. Phrasierung A und StV:

50 Fl. und Ob. N. 2 A und StV: *sf*

Ob. Vorschlag nach A gebunden; StV und EA: ungebunden

Cb. A und StV: *f* *p*

51 Cl. N. 2 A und StV: *sf*

52 Ob. *p* nach A; nicht in StV und EA

Fg. a 2 nicht in A

Cor. 2, 4 *p* nach A; nicht in StV und EA

53 - 55 C. ing. Phrasierung A und StV:

53 Voce: das in einer späteren Klavierausgabe (mit deutschem und englischem Text) auf Zählzeit 4 hinzugefügte nie I soll nicht unerwähnt bleiben; dieser

spätere Zusatz findet sich jedoch in keiner der eingangs genannten Quellen; auch in der Rückertschen Gedichtvorlage kommt in der dritten Strophe das Wort *nie* nicht vor (vgl. Friedrich Rückert: *Kindertodtenlieder. Aus seinem Nachlasse*, Ffm. 1872, S. 341).

56 Voce N. 1 > nach A (wie AKl, StVKl und EAKl); EA: >

57 - 59 Ob. Phrasierung A und StV: ♫ | ♩ ♫♩ ♫ | ♫ ♩. ♫ |

57 Vc. Bindung nach A (wie AKl, StVKl und EAKl); nicht in StV und EA

59 C. ing. Bindung nicht in A und StV; Dynamik in A: ♩ 𝅗𝅥 ♩ < *f* *sf*

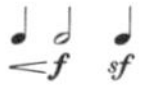

60, 61 Vla. Phrasierung A und StV: 𝅗𝅥 𝅗𝅥 | ♩ ♩ ♩ ♩ |

61 Cor. 1 - 4: Von diesem Takt bis zum Ende des Liedes geben die Quellen keinerlei Hinweise mehr auf die Horngruppierung und so ist es unklar, ob Mahler hier die anfängliche Gruppierung (Cor. 1, 2 - Cor. 3, 4) wieder aufnehmen oder die Gruppierung der Takte 20 - 53 (Cor. 1, 3 - Cor. 2, 4) auch weiterhin beibehalten wollte. Die Beobachtung, daß Mahler die anfängliche Gruppierung dort änderte, wo die unteren Hörner in ein tieferes Klangregister wechseln, welches bis zum Schluß des Liedes nicht mehr verlassen wird, gab für die Hg. den Anstoß, an der Gruppierung Cor. 1, 3 - Cor. 2, 4 bis zum Lied-Ende festzuhalten.

Vl. I Vorschlagsnoten; siehe Anm. zu T. 9, 10

62 Cor. 1 Angabe „I" nicht in A und StV

63 Vl. I Vorschlagsnoten; siehe Anm. zu T. 9, 10

Vla. *f* nicht in A und StV

64 - 66 Cb. *f* > *p* nach A; StV und EA: *f* >

66 - 67 Arpa Phrasierungsbogen nicht in A

69 Vl. II A: Vorschlag ungebunden

72 Cor. 1, 2 N. 1 A und StV: *sf*

73 Cfg. A: *f*

75 Timp. *f* nach A; nicht in StV und EA

77 Arpa A: *ff* (N. 2); StV und EA: *sempre ff* (N. 2 - 6)

77–83 Vc. A: 

StV: 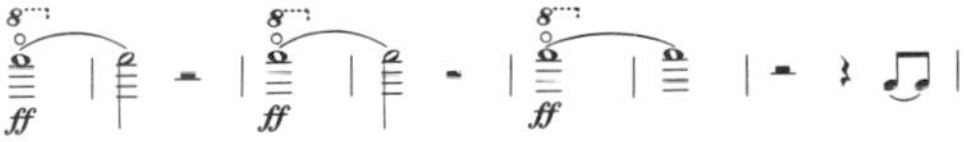

78 Vl. II A: > *p*

Vla. A: >

79 T.-t. *p* nach A und StV; nicht in EA

Voce A: *(f)*

Vl. II A: *ff* > *p*

80 Vl. II A: >

81, 82 Vl. I A und StV: *p* bereits in T. 81 auf Zählzeit 3

82, 83 Cl. b. Haltebogen nicht in A

82 Cor. 1 Angabe „I" nicht in A und StV

85, 86 Fg. Phrasierung A und StV: 

Vc. Phrasierung A: 

86, 87 Vl. II Phrasierung A: 

86 Vla. A und StV: ; EA: 

88 Cl. *p* nach A; nicht in StV und EA

Cor. 1, 2 N. 1 A und StV: *p*

89, 90 Vc. N. 5/N. 1 Haltebogen nicht in A

90 Vl. I < nach A und StV; nicht in EA

92 Cl. N. 1 A: *f*

93 Arpa *sf* nach A; nicht in StV und EA

95 Vc. A: *f* > *p*

96 Fg. *ppp* nach A; nicht in StV und EA

100 Arpa *p* nach A; nicht in StV und EA

101 Cel. *pp* nicht in A

Vl. I N. 3/4 Bindung nach A und StV; EA: ungebunden; EAKl: 

106 Arpa Arpeggierung nicht in A

110 - 112 Voce Phrasierung A und StV (wie AKl, StVKl):

; EA wie EAKl

112 Voce A (wie AKl): *Schooss*; in StVKl korrigiert zu: *Haus*; StV und EA (wie EAKl): *Haus*

116 Vl. II Phrasierung nach A und StV; EA:

117 Fl. und Cl. nicht in A und StV

118 Fl. und Cl. nicht in A und StV

119 Vla. *pp* nicht in A und StV

121, 122 Cb: Haltebögen nicht in A und StV

122 - 124 Voce Text vgl. Anm. zu T. 112

125 Cor. 1 *espr.* nach A; nicht in StV und EA; EAKl: *sehr getragen, zart*

128 Fg. nach A; nicht in StV und EA

Vc. *ohne Dämpfer* nicht in A; Nachtrag in StV, in EA übernommen; von den Hg. jedoch getilgt, da zwischen T. 74, in dem bereits *Dämpfer ab* steht, und T. 128, wo diese Forderung erneut auftritt, in keiner Quelle ein neues *con sord.* verzeichnet ist.

131 Cl. b. *p* nicht in A und StV

131, 132 Vla. Phrasierung nach A (wie EAKl); StV und EA:

136 Cl. 2 A, StV und EA: *sempre dim al...*; aufgrund der generellen Angabe *Morendo dim.* im gleichen Takt von den Hg. getilgt

137, 138 Vc. *morendo* nicht in A und StV

139 Cl. A und StV: *ppp*

Cl. b. A und StV: *ppp*

Vc. A und StV: *ppp*

Cb. A und StV: *ppp*

Reproduced by permission of Pierpont Morgan Library, New York

Erste Seite der autographen Partitur zu 5. *In diesem Wetter*
First page of the autograph score of song 5, *In diesem Wetter*

Erste Seite der Stichvorlage zu 5. *In diesem Wetter*
First page of the engraver's copy of song 5, *In diesem Wetter*

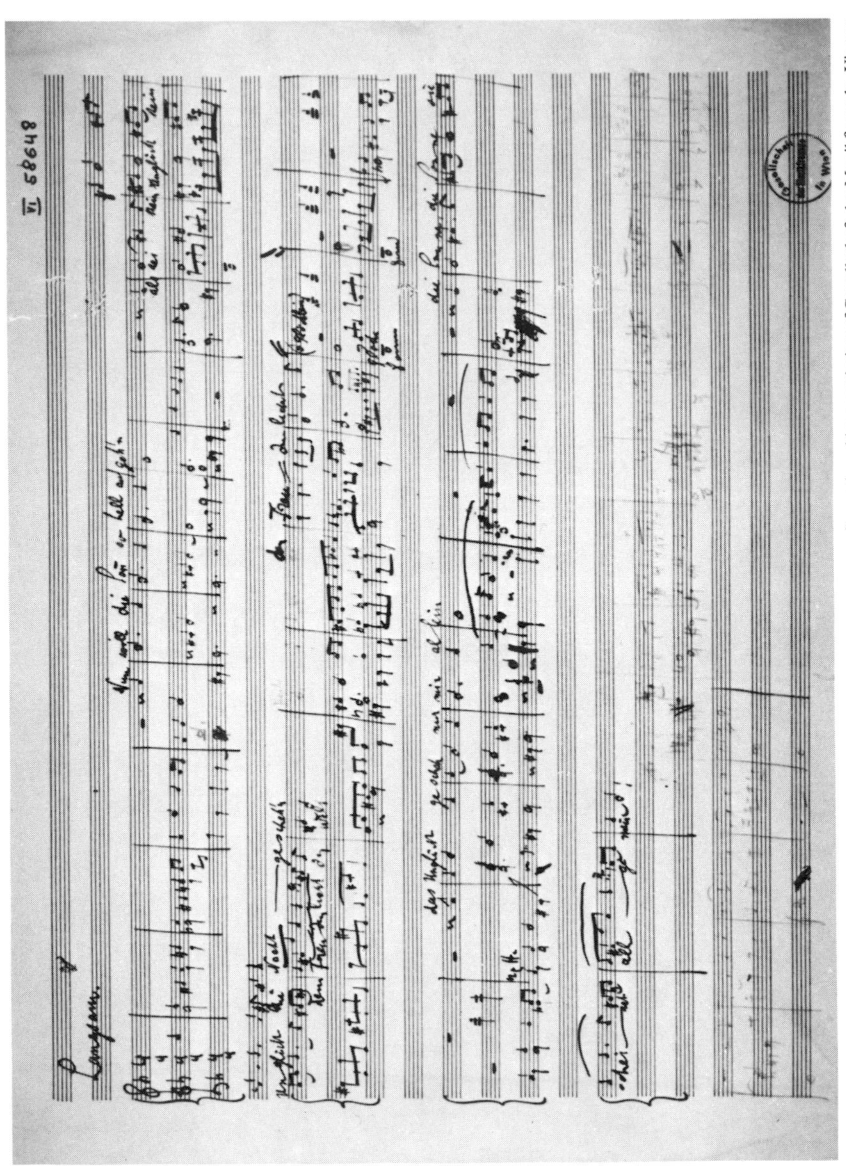

Klavierskizze zu 1. *Nun will die Sonn' so hell aufgehn*
Piano sketch of song 1, *Nun will die Sonn' so hell aufgehn*

KINDERTOTENLIEDER

(Friedrich Rückert)

1. Nun will die Sonn' so hell aufgehn

Gustav Mahler
(1860-1911)

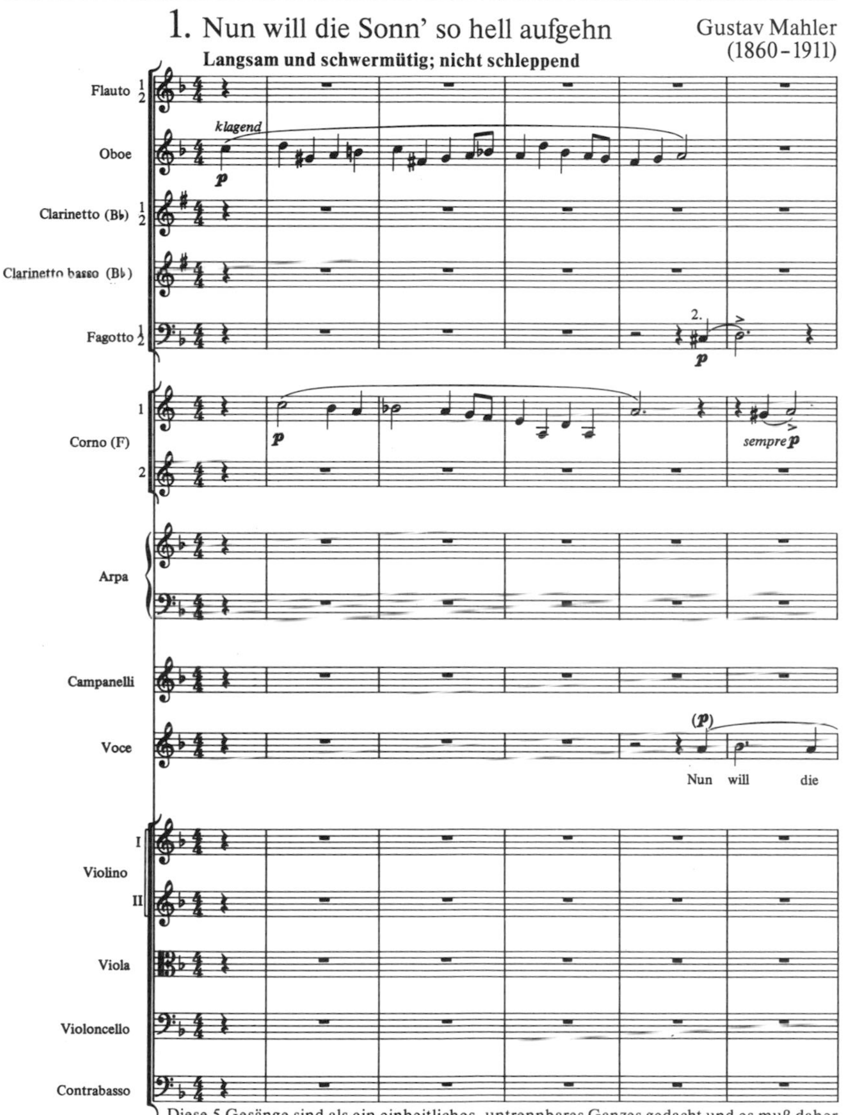

Diese 5 Gesänge sind als ein einheitliches, untrennbares Ganzes gedacht und es muß daher die Continuität derselben (auch durch Hintanhaltung von Störungen wie z. B. Beifallsbezeugungen am Ende einer „Nummer") festgehalten werden.

Edited by Andreas Ballstaedt and Klaus Döge

No. 1060 EE 6799

6
1
Ob.
p
espress.
Fg. 1 2
2.
1.
p
2.
2.
Cor. (F) 1 2
1.
pp
Voce
pp mit
Sonn' so hell auf - gehn,
als
Vc.
con sord.
pp
11
Cl. b. (B♭)
p
Fg. 1 2
Cor. (F) 1 2
klangvoll
Arpa
verhaltener Stimme
pp
Voce
sei kein Un - glück, kein Un - glück die Nacht ge -
con sord.
Vla.
pp
Vc.
sempre pp

15 **2**

Cl. (B♭) 1 2

pp

pp subito

Cl. b. (B♭)

p molto espress. pp pp

Cor. (F) 1 2

1.

p

p subito

Arpa

pp

Voce

- schehn!

Vla.

Vc.

sempre pp

19 **3**

klagend

Ob.

p

pp ausdruckslos

Cl. (B♭) 1 2

pp sf sf

pp subito

Cl. b. (B♭)

p

Cor. (F) 1

pp

p

pp ausdruckslos

2

p pp

Arpa

Camp.

p

24
4
Fl. 1 2
Ob.
Cl. (B♭) 1 2
Fg. 1 2
Cor. (F) 1 2
Voce
1.
a 2
2.
p
p espress.
Das Un-glück ge - schah nur mir al - lein!
30
Ob.
Cl. (B♭) 1 2
Cl. b. (B♭)
Cor. (F) 1 2
Arpa
Voce
Vl. II
Vla.
Vc.
dim.
sempre marcato
pp
Die Son - ne, die Son - ne, sie schei - net
con sord.
sempre con sord.
pp aber ausdrucksvoll
sempre con sord.
pp
ohne Ausdruck

35
5
Ob.
a 2
Cl. (B♭) 1 2
p
pp
p espress.
Cl. b. (B♭)
p
pp
sf
2.
Fg. 1 2
p
pp
sehr ausdrucksvoll
1
p
pp
p espress.
Cor. (F)
2
p
pp
Arpa
f
p
f
Voce
all - - - ge - mein!
Vl. II
Vla.
Vc.
pp
Cb.
pp

40
6
Fl. 1 2
Ob.
heftiger
sehr hervortretend
Cl. (B♭) 1 2
Cl. b. (B♭)
Fg. 1 2
Cor. (F) 1 2
Arpa'
Camp.
Voce
Vl. II
Vla.
Vc.
Cb.

45

Fl. 1 2 — 1. — p
Ob. — p
Cl. (B♭) — a 2 — p
Fg. 1 2 — 1.
Cor. (F) 1 2
Camp.
Voce

Du mußt nicht die Nacht in

50 — 7

Fl. 1 2 — sf pp
Ob. — sf pp
Arpa — f
Voce

dir ver - - schrän - ken, mußt sie ins ew' - - ge

Vl. I — senza sord. — pp mit großem Ausdruck
Vc. — senza sord. — pizz. — p

54
nicht schleppend
Cl. (B♭) 1 2
pp
Fg. 1 2
pp
f
pp
1
pp
Cor. (F)
2
pp
Arpa
f
Voce
Licht, ins ew' - - - - - ge Licht ver - sen - - - -
Vl. I
sf
pizz.
Vc.
pizz.
Cb.
p

59

Etwas bewegter (rubato)

8 Mit leidenschaftlichem Ausdruck

Fl. 1 2 — a 2 — sf

Ob. — p — sf

Cl. (B♭) 1 2 — a 2 — sf — sff

Cl. b. (B♭) — sf — pp

Fg. 1 2 — a 2 — f — ff

Cor. (F) 1 2 — p — sf — p — ff — p

Arpa — ff

Voce

- ken!

Vl. I — pp — sf

Vl. II — con sord. — mf — f

Vla. — p — sf — ff

Vc. — arco — p — f — ff — sf

Cb. — pizz. — sf — f

zurückkehrend
63
Fl. 1 2
Ob.
Cl. b. (B♭)
Fg. 1 2
Cor. (F)
Arpa
Camp.
Voce
Ein
Vl.
I
II
Vc.
Cb.
pizz.
dim.
dim.
dim.

68
9
Ob.
Cl. b. (B♭)
Fg. 1 2
2.
a 2
cresc.
1.
Cor. (F) 1 2
1.
p espr.
Voce
Lämp-lein ver - losch in mei - nem Zelt!
Vl. I
con sord.
73
10
Tempo I
Cl. b. (B♭)
Cor. (F) 1 2
2.
Arpa
Voce
(p) mit Erschütterung
Heil! Heil sei dem Freu - den-licht der
Vl. I
Vl. II
p molto espr.
con sord.
Vla.
Vc.
senza sord.
Cb.
arco

77
11
Ob.
Cl. (B♭) 1 2
Cl. b. (B♭)
Fg. 1 2
Cor. (F) 1 2
Arpa
Camp.
Voce
Welt,
dem Freu - - den -
Vl. I II
Vla.
Vc.
Cb.
p
pp
p espr.
1.

81
Ob.
Cl. (B♭) 1 2
Cl. b. (B♭)
1.
Fg. 1 2
Cor. (F) 1 2
Arpa
Camp.
Voce
- licht der Welt!
Vl. I II
Vla.
Vc.
pizz.
Cb.

2. Nun seh' ich wohl, warum so dunkle Flammen

Fl. 1 2
Cl. (A) 1 2
Fg. 1 2
Arpa
Voce
Vc.
Cb.
1.
pp
a 2
pizz.
arco div.
arco
sempre
div.
sf
sfp
Nun seh' ich wohl, war - um so dunk - le Flam - men ihr
sprüh - tet mir in manchem Au - gen - blik - ke. O Au - gen! O
Vl. I II
Vla.

13
Fl. 1 2
Cl. (A) 1 2
Arpa
Voce
Vl. I
Vl. II
Vla.
Vc.
Cb.
1.
p
pp
p zart
warm
Au - gen!
Gleich - sam, um voll in ei - nem Bli - ke zu
pizz.
18
Cl. (A) 1 2
Fg. 1 2
Cor. (F)
Arpa
Voce
Vla.
Vc.
Cb.
dràn-gen eu - re gan - ze Macht zu - sam - men.
Dort
non div.
sf
p
pp

22
1a
Ob.
Arpa
Voce
Vla.
Vc.
Cb.
steigernd
ahnt' ich nicht, weil Ne - bel mich um - schwammen, ge -
div.
p espr.
pp
pizz.
26
2
rit.
espr.
Cl. (A) 1 2
Fg. 1 2
fließend
rit.
- wo - ben vom ver - blen - den - den Ge - schik - ke, daß sich der
Vl. I II
div.
arco
sf
sfp

29
Etwas bewegter
a tempo
a 2
Fl. 1 2
Ob.
Cl. (A) 1 2
1.
Fg. 1 2
1.
Cor. (F)
Arpa
a tempo
Voce
Strahl be - reits zur Heim-kehr schik - ke, dort - hin, dort -
I
Vl.
II
Vla.
pizz.
Vc.
pizz.
Cb.

32
2a
a 2
Fl. 1 2
Ob.
Cl. (A) 1 2
Fg. 1 2
Cor. (F)
Arpa
Voce
- hin, von wan - nen al - le Strah - len stam - - men.
I
Vl.
II
Vla.
Vc.
Cb.
pizz.
arco
div.

37
Fl. 1 2
Cl. (A) 1 2
Fg. 1 2
Timp.
Arpa
Voce
Vl. I II
Vla.
Vc.
Cb.
riten.
tr
pp
zurückhaltend
Ihr woll - tet mir mit eu - rem
non riten.
fp
sf
p
pp

41
3 Tempo I
Fl. 1 2
Cl. (A) 1 2
Fg. 1 2
Arpa
Voce
warm
Leuch - - ten sa - gen: Wir möch - ten
Vl. I II
Vla.
Vc.
Cb.
pizz.
sempre pp

44
Fl. 1 2
a 2
pp
pp
Cl. (A) 1 2
sf
p
sf
Fg. 1 2
1.
sf
p
sf
Cor. (F)
p
sf
p
sf
p
Arpa
Voce
sf
nicht eilen
nah dir blei - ben ger - ne,
doch ist uns
I
Vl.
II
pp
Vla.
pp
pizz.
Vc.
pizz.
Cb.

49
4
Fl. 1 2
Cl. (A) 1 2
Fg. 1 2
Cor. (F)
Arpa
Voce
das vom Schick-sal ab - ge - schlagen.
Vl. II
Vla.
Vc.
Cb.
a 2
div.
pizz.
arco
espr.

54
a 2
Fl. 1 2
pp
f
p
Ob.
p espr.
Cl. (A) 1 2
pp
f
p
1.
Fg. 1 2
ppp
Arpa
f
p
Voce
Sieh uns nur an, denn bald sind wir dir fer - ne!
Vl. II
ppp
sempre pp
Vla.
pp
sempre pp
Vc.
p
pizz.
Cb.

58
5
rit.
Fl. 1 2
Ob.
Cl. (A) 1 2
Fg. 1 2
Cor. (F)
Arpa
Voce
Was dir nur Au - gen sind in die - sen
I
Vl.
II
Vla.
Vc.
Cb.
p
f
pp
espr.
arco

62
Etwas bewegter
Fl. 1 2
Ob.
Cl. (A) 1 2
Fg. 1 2
a 2
Cor. (F)
Arpa
Voce
Ta - gen: in künft' - gen Näch - - ten sind es dir nur
I
Vl.
II
Vla.
Vc.
pizz.
arco
Cb.

66
6
non rit.
Ob.
Cl. (A) 1 2
pp subito
pp
Fg. 1 2
pp subito
pp
p
Cor. (F)
p
molto espr.
f
Arpa
p
f
Voce
pp subito
Ster - - - ne.
I
Vl.
II
pp
pp subito
f
pp
pp subito
f
Vla.
div.
pp subito
p
fp
sf
p
Vc.
div.
pp subito
fp
sf
p
Cb.
pp subito

70
rit. pp
1.
a 2
Fl. 1 2
pp.
morendo
Ob.
ff p
a 2
Cl. (A) 1 2
f p
p
pp morendo
1.
Fg. 1 2
f p
pp
morendo
Arpa
p
dim.
pp
I
Vl.
II
pp subito
pp morendo
pp subito
pp morendo
div.
Vla.
pp
pizz.
pp
div.
Vc.
pp
pizz.
pp
pizz.
Cb.
pp

3. Wenn dein Mütterlein

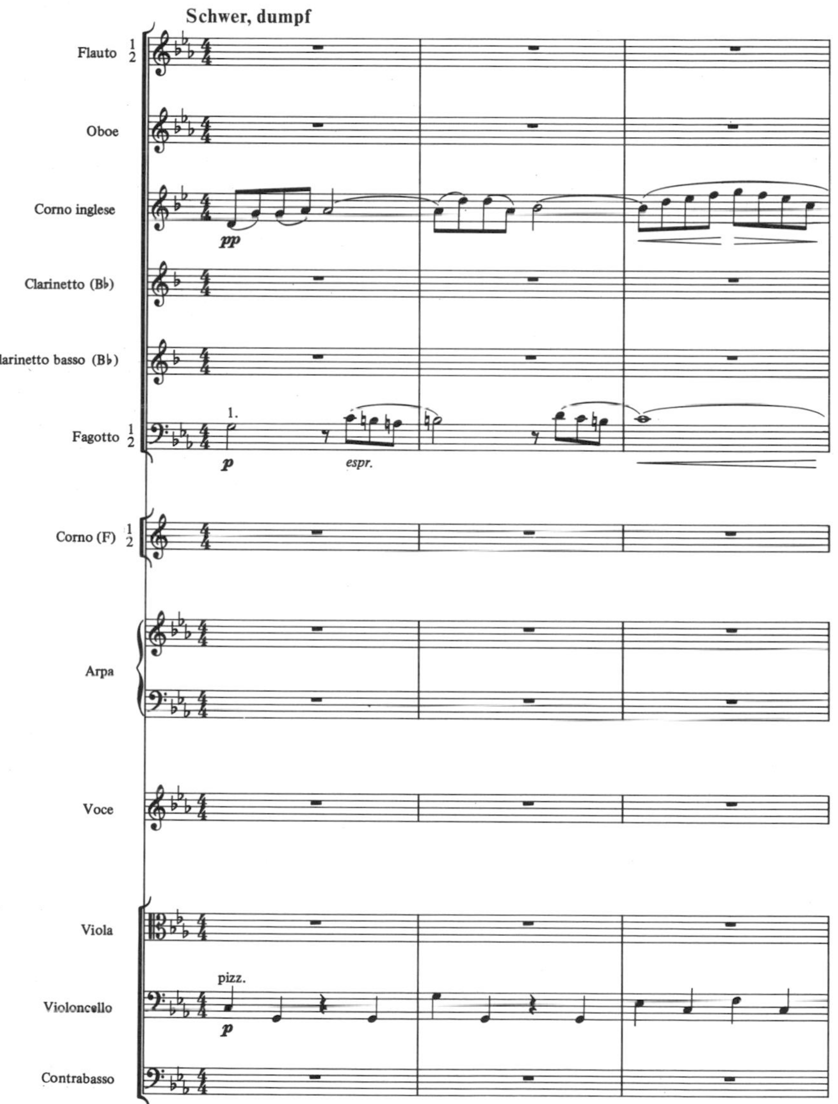

4
Ob.
C. ing.
Cl. b. (B♭)
Fg. 1 2
Vc.
pp espr.
p
1.
p
pizz.
8
Fließender
Fl. 1 2
1.
pp ohne Ausdruck
Ob.
pp ohne Ausdruck
p molto espr.
C. ing.
pp
Fg. 1 2
1.
pp
p molto espr.
Arpa
p
Voce
schwermütig
Wenn dein Müt - ter - lein tritt zur Tür her - ein,
Vc.

11
Ob.
Cl. b. (B♭)
Fg. 1 2
1.
dim.
p
Arpa
Voce
mp
und den Kopf ich dre - he, ihr ent - ge - gen se - he,
Vo.
pizz.
16
1
Fl. 1 2
a 2
pp
Ob.
molto espr.
C. ing.
p
Cl. (B♭)
pp
Cl. b. (B♭)
Arpa
p
Voce
mp
fällt auf ihr Ge - sicht erst der Blick mir nicht,

19
Etwas bewegter
Cl. (B♭)
Fg. 1 2
p molto espr.
Cor. (F)
p molto espr.
pp
Voce
p
sondern auf die Stel - le, nä - her,
Vc.
con sord. arco
pp espr.
23
Fl. 1 2
1.
pp
2
C. ing.
p
Cl. (B♭)
p
Cl. b. (B♭)
p
Cor. (F) 1 2
pp
Voce
steigernd
f nicht eilen
nä - her nach der Schwel - le, dort, dort, wo wür - de dein lieb' Ge - sichtchen sein,
Vla.
p
Vc.
sempre pp
Cb.
p

27
a 2
Fl. 1 2
p espr.
Cl. b. (B♭)
p
Fg. 1 2
pp
Voce
wenn du freu - - den - hel - le trä - - test mit her -
Vla.
p
Vc.
Cb.
30
Cl. b. (B♭)
p
Fg. 1 2
Voce
f
- ein, trä - test mit her - ein, wie sonst mein Töch - - ter -
Vla.
espr.
senza sord.
div. pp
sf
Vc.
mf
dim.

33
3 Wie zu Anfang
Ob.
C. ing.
Cl. (B♭)
Cl. b. (B♭)
1.
Fg. 1 2
Arpa
Voce
- lein!
Vla.
Vc.
pizz.
Cb.
pizz.

38
Etwas fließend
Fl. 1 2
Ob.
C. ing.
Cl. (B♭)
l. b. (B♭)
Fg. 1 2
Cor. (F) 1 2
Arpa
Voce
Vc.
pp senza cresc.
sempre pp
cresc. molto
pp
cresc. molto
p subito
pp
cresc. molto
p subito
a 2
p
1.
p
cresc.
f
Wenn dein Müt-ter - lein
tritt zur Tür her -ein
pizz.
p

klagend
Ob.
Cor. (F) 1 2
1.
Voce
mp
mit der Ker - ze Schim - mer, ist es mir, als
pizz.
Vla.
Vc.
Fl. 1 2
a 2
C. ing.
Cl. (B♭)
Arpa
mf
pp
im - mer kämst du mit her - ein, husch - test hin - ter - drein,

Etwas bewegter
7
Fl. 1 2
Ob.
C. ing.
Cl. (B♭)
Cl. b. (B♭)
Cor. (F) 1 2
Voce
p espr.
sf
innig
als wie sonst ins Zim - mer!
Fl. 1 2
Cl. (B♭)
Cl. b. (B♭)
Fg. 1 2
a 2
Cor. (F) 1 2
Voce
Mit ausbrechendem Schmerz
O du, du, des Va - ters Zel - - le,
Vla.
arco
pp espr.
Vc.
div.
arco
Cb.
arco

58
8
Cl. (B♭)
Cl. b. (B♭)
Fg. 1 2
Cor. (F)
Voce
ach, zu schnel - - - le, zu schnell er-losch-ner Freu - - den-
Vla.
p espr.
Vc.
Cb.
62
ritard.
9
Wieder wie zu Anfang
C. ing.
Cl. (B♭)
Fg. 1 2
espr.
Cor. (F) 1 2
Arpa
Voce
-schein, er- losch -ner Freu - den-schein!
Vla.
Vc.
div.
Cb.

65
rit.
C. ing.
pp
morendo
Cl. (B♭)
pp
Fg. 1 2
1.
morendo
Cor. (F) 1 2
1.
mp espr.
morendo
Arpa
f
Voce
Vla.
Vc.
unis.
espr.
morendo
Cb.
ppp

4. Oft denk' ich, sie sind nur ausgegangen

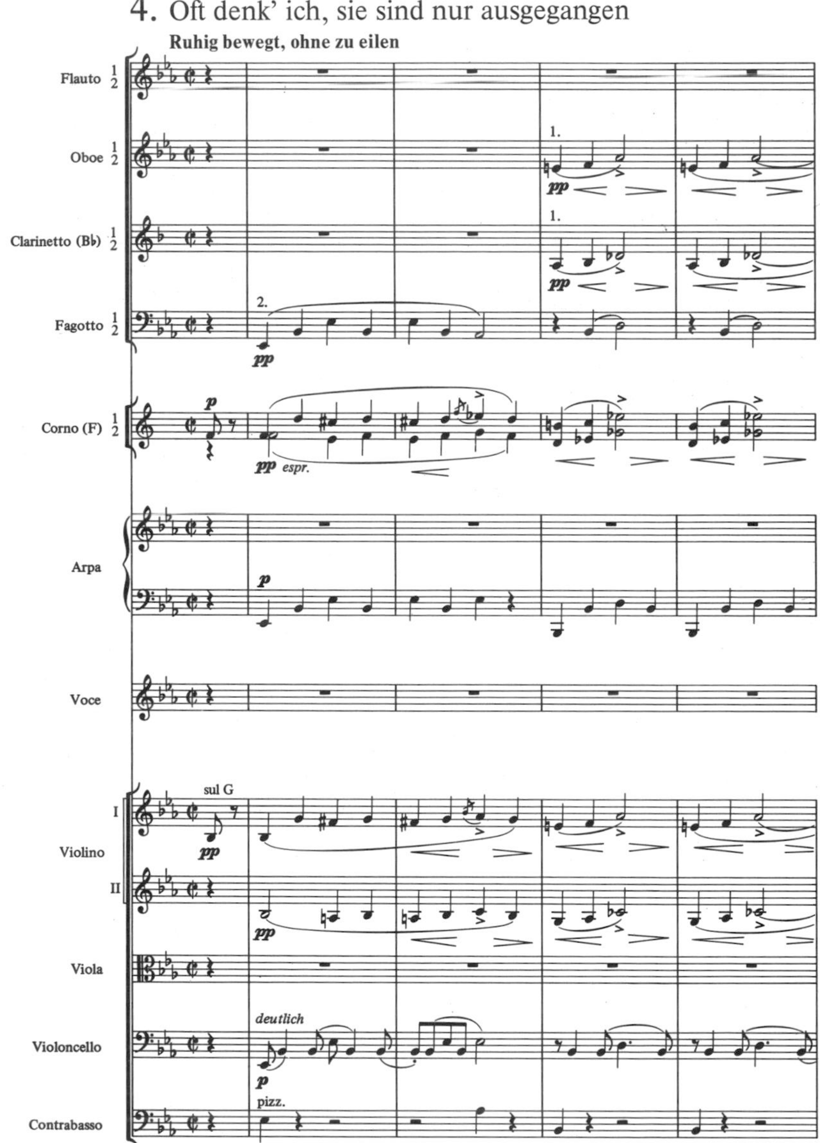

Ob.
Cl. (B♭)
Fg.
pp
p espr.
sf
Schlicht, aber warm
Voce
Oft denk' ich, sie sind nur aus - ge - gan - gen!
Vl.
pizz.
pp
Vc.
Cb.
1
p
a 2
Bald wer - den sie wie - der nach Hau - se ge - lan - gen!
div.
unis.
Vla.
p molto espr.
div.
arco
pizz.

14
2
Fl. 1/2
Cl. (B♭) 1/2
Fg. 1/2
Cor. (F) 1/2
Arpa
Voce
Vl. I
Vl. II
Vla.
Vc.
Cb.
pp
p
[pp]
1.
p espr.
f
(pp) zart
Der Tag ist schön! O sei nicht bang! Sie
con sord.
con sord.
arco
pizz.
pizz.

19
poco rit.
Ob. 1 2
Fg. 1 2
Cor. (F) 1 2
Voce
warm
(p)
ma - chen nur ei - nen wei - ten Gang. Ja -
senza sord.
I
Vl.
II
gliss.
Vla.
unis. cresc.
arco
Vc.
pizz.
cresc.
Cb.
24
3
a tempo
Cl. (B♭) 1 2
2.
Fg. 1 2
Voce
- wohl, sie sind nur aus - ge - gan - gen und wer - den
Vl.
espr.
Vla.
espr.
Vc.

29
Fg. 1 2
1.
pp
Voce
jetzt nach Hau - se ge - lan - gen!
Vl. I
Vla.
div. p
Vc.
p espr.
pizz.
Cb.
34
4
Fl. 1 2
pp
Ob. 1 2
sf
1.
p espr.
Cl. (B♭) 1 2
sf
Fg. 1 2
1.
pp
Arpa
f
ppp
zart
(pp)
Voce
O, sei nicht bang, der Tag ist
con sord.
div.
I
Vl.
pp
II
con sord.
div.
pp
div.
Vla.
pp
Vc.
pp
Cb.

39

Fl. 1 2 — pp — cresc.

Ob. 1 2 — 1. — pp — cresc.

Fg. 1 2

Cor. (F) 1 2 — p espr.

Voce — warm

schön! Sie ma - chen nur den Gang zu je - nen Höhn!

Vl. I — Solo senza sord. — p

Vc. — div. arco — pizz.

44 — rit. — 5 Nicht eilen a tempo

Fl. 1 2 — pp

Ob. 1 2 — sf — p — pp

Cl. (B♭) 1 2 — 2. — f — p — dim. — pp

Cor. (F) 1 2

Arpa — p

Voce — schlicht

Sie sind uns nur vor - aus - ge - gan -

Vl. I — f — p — pp

Vc. — unis. arco — p

49
Fl. 1 2
Ob. 1 2
Cl. (B♭) 1 2
pp
Arpa
Voce
- gen und wer - den nicht wie - der nach
Vl. I
II
senza sord.
pp
Vla.
pp
Vc.
pp
Cb.

53
6
Cl. (B♭) 1 2
Fg. 1 2
1.
p
Cor. (F) 1 2
p espr.
Arpa
Voce
Haus ver - lan - gen!
Tutti
I
pp espr.
Vl.
II
pp
Vla.
pp
p
Vc.
pizz.
Cb.

57
7
Fl. 1 2
a 2
pp
Ob. 1 2
1.
f
Cl.(B♭) 1 2
1.
f
Fg. 1 2
1.
Cor. (F) 1 2
p
Arpa
f
ppp
Voce
p zart
Wir ho - len sie ein auf je - nen
Vla.
Vc.
div.
sf
Cb.
pizz.

62
Fl. 1/2
Cl. (B♭) 1/2
Fg. 1/2
Cor. (F) 1/2
Arpa
Voce
Vl. I
Vl. II
Vla.
Vc.
1.
pp
p
espr.
warm
steigernd
Höhn im Son - - - nen schein! Der Tag ist
unis.
pizz.
arco
cresc.

67
rit.
a 2
a tempo
rit.
Fl. 1 2
pp
ff
1.
Fg. 1 2
pp
morendo
Cor. (F) 1 2
p molto espr.
sf
morendo
Arpa
pp
Voce
schön auf je - nen Höhn!
I
Vl.
II
ff
p
ppp morendo
f
ppp
morendo
Vla.
ppp
morendo
Vc.
pp
morendo
pizz.
Cb.
pp

5. In diesem Wetter

Mit ruhelos schmerzvollem Ausdruck

*) Original: Glöckchen

4
Picc.
Fl. 1 2
a 2
trem.
Ob. 1 2
1.
a 2
C. ing.
Cl. (A) 1 2
1.
Cl. b. (A)
Fg. 1 2
a 2
Cfg.
gestopft
Cor. (F) 3 4
Arpa
pizz.
I
Vl.
II
Vla.
sempre p
unis.
Vc.
unis.
arco
Cb.

7
1
Picc.
Fl. 1 2
Ob. 1 2
a 2
1.
C. ing.
Cl. (A) 1 2
Cl. b. (A)
Fg. 1 2
Cfg.
Cor. (F) 1 2 3 4
1.
a 2 offen
Arpa
Vl. I
pizz.
arco
Vla.
Vc.
pizz.
arco
Cb.

11
Fl. 1 2
Ob. 1 2
C. ing.
Cl. (A) 1 2
Cl. b. (A)
Fg. 1 2
Cfg.
Cor. (F) 1 2 3 4
Arpa
Vl. I II
Vla.
Vc.
Cb.
a 2
1.
gest.
offen
div.
pizz.
dim.

15
Picc.
Fl. 1 2
Ob. 1 2
C. ing.
Cl. (A) 1 2
Cl. b. (A)
Fg. 1 2
Cor. (F) 1 2 3 4
Arpa
Voce
In die - sem
Vl. I II
Vla.
Vc.
Cb.
pizz.
div.
arco

18
2
Picc.
Fl. 1 2
Ob. 1 2
C. ing.
Cl. (A) 1 2
Cl. b. (A)
Fg. 1 2
Cfg.
Cor. (F) 2 4
Arpa
Voce
I
Vl.
II
Vla.
Vc.
Cb.
a 2
1.
pp
p
f
sf
pizz.
arco
div.
unis. naturale
sul ponticello marcato
Wet - ter, in die-sem Braus, nie hätt' ich ge - sen - det die

22
Picc.
Fl. 1 2
Ob. 1 2
C. ing.
Cl. (A) 1 2
a 2
Cl. b. (A)
Fg. 1 2
Cfg.
Cor. (F) 1 3 2 4
espr.
gest.
Voce
Kin - der hin - aus, man hat sie ge - tra - gen, ge -
Vla.
sul ponticello
Vc.
sul ponticello
Cb.
arco

26
Fl. 1 2
Ob. 1 2
C. ing.
Cl. (A) 1 2
Cl. b. (A)
Fg. 1 2
Cfg.
Cor. (F) 1 3 2 4
Voce
Vla.
Vc.
Cb.
a 2
molto
schmerzlich
-tra - gen hin - aus.
Ich durf - te nichts da - zu sa - -
naturale
div.

31
3
Ob. 1 2
p
dim.
a 2
Cl. (A) 1 2
p
pp
Cl. b. (A)
pp
Гg. 1 2
p
Cfg.
pp
1.
Cor. (F) 1 3
f
f
Arpa.
f
Voce
- gen.
In die-sem Wet - ter, in die - sem Saus, nie
arco
I
Vl.
II
f
arco
f
Vla.
f
p
Vc.
f
p
pp
pizz.
div.
Cb.
f
p
f

35
Picc.
Fl. 1 2
a 2
Ob. 1 2
a 2
C. ing.
Cl. (A) 1 2
Cl. b. (A)
Fg. 1 2
1.
Cfg.
Voce
hätt' ich ge - las - sen die Kin - der hin - aus,
I
Vl.
II
p espr.
Vla.
Vc.
unis. arco
Cb.

40
Fl. 1 2
a 2
p
f
Ob. 1 2
C. ing.
dim.
ppp
Cl. (A) 1 2
p
pp
Cl. b. (A)
p dim.
ppp
Fg. 1 2
sf
pp
Arpa
f
Voce
pp
ich fürch - te - te, sie er - kran - ken; das sind nun eit - le Ge -
I
Vl.
II
mf
pp
sf
div.
Vla.
Vc.

44
4
Picc.
Fl. 1 2
C. ing.
Cl. (A) 1 2
a 2
Cl. b. (A)
Fg. 1 2
1.
Cfg.
Cor. (F) 1 3
1.
Voce
- dan - ken.
Vl.
I
II
pizz.
Vla.
arco
Vc.
sempre p
Cb.
arco
sempre p

48
Fl. 1 2
Ob. 1 2
C. ing.
Cl. (A) 1 2
Cl. b. (A)
Fg. 1 2
Cfg.
Cor. (F) 1 3
Voce
Vla.
Vc.
Cb.
a 2
gest.
In die-sem
pizz.
arco

52
5
Picc.
Fl. 1 2
Ob. 1 2
1.
C. ing.
Cl. b. (A)
Fg. 1 2
a 2
gest.
Cor. (F) 1 3
offen a 2
2 4
Voce
(p)klagend
Wet - ter, in die-sem Graus, hätt' ich ge - las - sen die
arco
sul D
Vl. I
arco
sul G
II
Vla.
Vc.
Cb.

56
Picc.
Fl. 1 2
1.
sfp
p
f
Ob. 1 2
a 2
pp
f
C. ing.
p
f
Cl. b. (A)
p
f
Fg. 1 2
ff
p
f
Voce
Kin - der hin - aus.
Ich sorg - te, sie stür - ben
I
Vl.
II
sempre pp
sempre pp
Vla.
f
p
pp
Vc.
p
p

61
Fl. 1 2
Ob. 1 2
1.
C. ing.
Cl. (A) 1 2
a 2
1 3
Cor. (F)
2 4
a 2
1. offen
Voce
mor - gen,
das ist nun nicht zu be-
I
Vl.
II
non div.
non div.
non div.
non div.
Vla.
Vc.
Cb.

65
6
a 2
Fl. 1 2
Ob. 1 2
1.
Schalltr. auf
C. ing.
a 2
Cl. (A) 1 2
Schalltr. auf
Cl. b. (A)
Fg. 1 2
Cfg.
Cor. (F) 1 3 2 4
Timp.
Arpa
sempre
Voce
- sor - gen.
pizz.
sempre
Vl. I II
Vla.
Vc.
pizz.
Cb.

69
Fl. 1 2
Ob. 1 2
C. ing.
Cl. (A) 1 2
Cl. b. (A)
Fg. 1 2
Cfg.
Cor. (F) 1 3 2 4
Timp.
Arpa
I
Vl.
II
Vla.
Vc.
Cb.
a 2
pizz.

73
Stetig steigernd
Fl. 1 2
sempre
Ob. 1 2
C. ing.
sempre
Cl. (A) 1 2
Cl. b. (A)
a 2
Fg. 1 2
Cfg.
Cor. (F) 1 3 2 4
Timp.
Arpa
Voce
(ff)
In die-sem Wet - ter, in die-sem Graus,
pizz.
Vl. I II
pizz.
pizz.
Vla.
pizz.
arco
senza sord.
pizz.
arco
Vc.
arco
pizz.
arco
Cb.

77
7
Picc.
Fl. 1 2
C. ing.
Cl. (A) 1 2
Cl. b. (A)
Fg. 1 2
Cfg.
Cor. (F) 1 3 2 4
Timp.
T.-tam
Arpa
Voce
Vl. I II
Vla.
Vc.
Cb.
sempre ff
poco a poco cresc. al
nie hätt' ich ge-
arco
Flag.
div.
8va

81
Picc.
Fl. 1 2
Ob. 1 2
C. ing.
Cl. (A) 1 2
Cl. b. (A)
Fg. 1 2
Cfg.
Cor. (F) 1 3 2 4
Timp.
T.- tam
Voce
- sen - det die Kin - der hin - aus.
Man
Vl. I II
Vla.
Vc.
Cb.
sempre p
sempre p

86
Fl. 1 2
Ob. 1 2
C. ing.
Cl. (A) 1 2
Cl. b. (A)
Fg. 1 2
Cor. (F) 1 3 2 4
Timp.
Arpa
Voce
hat sie hin-aus ge - tra - gen, ich durf - te nichts da-zu
Vl. I II
Vla.
Vc.
Cb.
p espr.
molto
pizz.

90

8

Picc.
Ob. 1 2
C. ing.
Cl. (A) 1 2
Cl. b. (A)
Cfg.
Cor. (F) 1 3 2 4
Timp.
Camp.
Arpa
Voce
Vl. I II
Vla.
Vc.
Cb.

1. f
ff p
a 2 f
fp
sfp
dim. pp
mf
tr
sf
arco
Flag.
8va
ff [p]

sa - - gen!

94
Allmählich langsamer
Picc.
Fg. 1 2
Camp.
Arpa
Vl. I II
Vla.
Vc.
pp sempre
div.
8va
99
Langsam, wie ein Wiegenlied
Cel.
Voce
(leise bis zum Schluß)
In die - sem Wet - ter, in
p espr.

103
Fl. 1 2
Cor. (F) 1 3
Arpa
Cel.
Voce
Vl. I II
Vla.
1.
p
1. con sord.
p
pp
die - sem Saus, in die - sem Braus, sie
107
1.
1.
ruhn, sie ruhn als wie in der Mut - ter, der
etwas hervortretend

111
1.
9
Fl. 1/2
p espr. etwas hervortretend
Cor. (F) 1/3
Cel.
Voce
Mut - - ter Haus,
von
Vl.
I
II
pp
sempre pp
115
Fl.
p
espr.
Cl. (A)
kei - nem Sturm er - schrek - ket, von Got - tes Hand be - dek - ket, sie
morendo

119
Cor. (F)
pp
Arpa
pp
Cel.
Voce
ruhn, sie ruhn wie in der Mut - ter Haus, wie
I
Vl.
II
pp
pp
Vla.
pp
pizz.
V.c.
pp
div.
Cb.
ppp

123
10
Cl. b. (A)
Fg. 1 2
weich
p
1.
Cor. (F) 1 3 2 4
p weich espr.
Arpa
Cel.
Voce
in der Mut-ter Haus!
Vl. I II
Vla.
div. arco
Vc.
Cb.

128
11
Cl. (A) 1 2
Cl. b. (A)
Fg. 1 2
Cor. (F)
1 3
2 4
1.
Cel.
Vl.
I
II
Vla.
Vc.
Cb.
div.
p
pp
f
hervortretend

134
Morendo dim.
a 2
gänzlich verklingend
Cl. (A) 1 2
Cl. b. (A)
1.
a2
1 3
Cor. (F)
2 4
ppp
ppp
Cel.
I
Vl.
II
Vla.
pp
ppp
con sord.
Vc.
pp morendo
ppp
div.
Cb.
ppp

Songs on the Death of Children

1. Now the sun proposes to rise as brightly
as if the night had brought no harm.
The harm it brought was to me alone;
the sun shines on everyone alike.

You must not wrap the night within yourself,
you must drown it in the eternal light.
A little lamp went out in my tent;
blessed be the light that brings joy to the world!

2. Now, now I see, O eyes, why you would often
flash such dark flames at me!
As if you sought to gather all your power
into a single glance.

And yet I could not foresee, since mists were all about me,
woven by deceiving fate,
that your radiance was making ready for its journey home
to the place from which all radiance has its source.

With your shining eyes you were trying to say:
We want to stay near you,
but fate has refused us.
Look at us now, for soon we shall be far away!
What you see, in these days, as mere eyes,
in nights to come you will see as mere stars.

3. When your mother
comes in at the door
and I turn my head
and look towards her,

Kindertotenlieder

1. Nun will die Sonn' so hell aufgehn,
als sei kein Unglück die Nacht geschehn!
Das Unglück geschah nur mir allein!
Die Sonne, sie scheinet allgemein!

Du mußt nicht die Nacht in dir verschränken,
mußt sie ins ew'ge Licht versenken!
Ein Lämplein verlosch in meinem Zelt!
Heil sei dem Freudenlicht der Welt!

2. Nun seh' ich wohl, warum so dunkle Flammen
ihr sprühtet mir in manchem Augenblicke.
O Augen! Gleichsam, um voll in einem Blicke
zu drängen eure ganze Macht zusammen.

Dort ahnt' ich nicht, weil Nebel mich umschwammen,
gewoben vom verblendenden Geschicke,
daß sich der Strahl bereits zur Heimkehr schicke,
dorthin, von wannen alle Strahlen stammen.

Ihr wolltet mir mit eurem Leuchten sagen:
Wir möchten nah dir bleiben gerne,
doch ist uns das vom Schicksal abgeschlagen.
Sieh uns nur an, denn bald sind wir dir ferne!
Was dir nur Augen sind in diesen Tagen:
in künft'gen Nächten sind es dir nur Sterne.

3. Wenn dein Mütterlein
tritt zur Tür herein,
und den Kopf ich drehe,
ihr entgegen sehe,

my eyes at first
fall not on her face,
but on the place
nearer the threshold
were your dear face
would be
if you were coming in with her,
brigth with joy,
as once did my daughter.

When your mother
comes in at the door
with the candle's gleam,
I always think
that you are coming in with her,
darting behind her
into the room, as you once did.
O you joyful light
of your father's retreat,
extinguished all too soon!

fällt auf ihr Gesicht
erst der Blick mir nicht,
sondern auf die Stelle,
näher nach der Schwelle,
dort, wo würde dein
lieb' Gesichtchen sein,
wenn du freudenhelle
trätest mit herein,
wie sonst mein Töchterlein!

Wenn dein Mütterlein
tritt zur Tür herein
mit der Kerze Schimmer,
ist es mir, als immer
kämst du mit herein,
huschtest hinterdrein,
als wie sonst ins Zimmer!
O du, des Vaters Zelle,
ach, zu schnelle,
zu schnell erloschner Freudenschein!

4. I often think they have only gone out:
soon they will be coming back home again.
It is a fine day: O do not worry,
they have only gone for a long walk.

Yes, yes they have only gone out,
and now they will be coming back home again.
O do not worry, it is a fine day:
they have only gone on the walk to those hills.

They have only gone ahead of us
and will not want to come back home again.
We shall catch them up on those hills
in the sunshine! It is a fine day
on those hills.

4. Oft denk' ich, sie sind nur ausgegangen!
Bald werden sie wieder nach Hause gelangen!
Der Tag ist schön! O sei nicht bang!
Sie machen nur einen weiten Gang.

Jawohl, sie sind nur ausgegangen
und werden jetzt nach Hause gelangen!
O, sei nicht bang, der Tag ist schön!
Sie machen nur den Gang zu jenen Höhn!

Sie sind uns nur vorausgegangen
und werden nicht wieder nach Haus verlangen!
Wir holen sie ein auf jenen Höhn
im Sonnenschein! Der Tag ist schön
auf jenen Höhn!

5. In such stormy weather, such driving rain,
I would never have sent the children out.
They have been carried out:
there was nothing I could do about it.

5. In diesem Wetter, in diesem Braus,
nie hätt' ich gesendet die Kinder hinaus,
man hat sie getragen hinaus.
Ich durfte nichts dazu sagen.

In such stormy weather, such raging wind,
I would never have let the children out.
I would have been frightened they might fall ill:
now these are idle thoughts.

In such stormy weather, such a dreadfulstorm,
would I have let the children out.
I would have been afraid they might die the next day:
now that fear is no more.

In such stormy weather, such a dreadful storm,
I would never have sent the children out.
They have been carried out:
there was nothing I could do about it.

In such stormy weather, such raging wind,
such driving rain,
they are at rest as in their mother's house.
No storm to alarm them;
God's hand to shelter them.

Prose translation by
Richard Deveson

In diesem Wetter, in diesem Saus,
nie hätt' ich gelassen die Kinder hinaus,
ich fürchtete, sie erkranken;
das sind nun eitle Gedanken.

In diesem Wetter, in diesem Graus,
hätt' ich gelassen die Kinder hinaus.
Ich sorgte, sie stürben morgen,
das ist nun nicht zu besorgen.

In diesem Wetter, in diesem Graus,
nie hätt' ich gesendet die Kinder hinaus.
Man hat sie hinaus getragen,
ich durfte nichts dazu sagen!

In diesem Wetter, in diesem Saus,
in diesem Braus,
sie ruhn als wie in der Mutter Haus,
von keinem Sturm erschrecket,
von Gottes Hand bedecket,
sie ruhn wie in der Mutter Haus!